Freud et le diable

552 A. β 3 R. 234

11

VOIX NOUVELLES

EN PSYCHANALYSE

Collection dirigée par
Jean Laplanche

Freud et le diable

LUISA DE URTUBEY

sous la direction de
JEAN LAPLANCHE

Presses Universitaires de France

595053

ISBN 2 13 037855 2

Dépôt légal — 1re édition : 1983, février

INTRODUCTION

Le diable est un personnage étrange et terrifiant qui, depuis toujours, hante l'imagination humaine.

Il trouve son origine historique dans l'effort des religions pour expliquer l'ambivalence des forces de la nature, qui, d'une façon qui dépasse l'entendement, sont parfois bienfaisantes et secourables, parfois malfaisantes et hostiles. En postulant l'existence du diable, la pensée religieuse essaie de justifier l'amour et la haine des hommes envers ces forces divinisées et d'expliquer la présence du mal dans le monde.

Certaines religions (parmi lesquelles le zoroastrisme, la gnose et le manichéisme) tentèrent de résoudre le problème du mal en décrivant une lutte entre divinité bonne et divinité mauvaise, au pouvoir égal. Grâce à ce clivage, le dieu bon n'est responsable que des bienfaits.

D'autres religions, notamment la grecque, admirent des divinités mauvaises, puissantes et indépendantes des dieux célestes, quitte à les conjurer ensuite (ainsi les Erinnyes devinrent Euménides).

Le christianisme et le judaïsme tardif acceptèrent le mal personnifié en le subordonnant à Dieu (solution instable, puisque Dieu est alors à l'origine du mal) et en élaborant des techniques susceptibles de le mettre en déroute (l'exorcisme, les bénédictions, etc.).

Nous pouvons caractériser le diable de notre culture (diable judéo-

chrétien avec des influences païennes) comme un être spirituel
(c'est-à-dire invisible, imaginaire) :

— spécialisé à faire, vouloir et rechercher le mal;
— dédié à désunir et à combattre le bien et la vie;
— rebelle et ennemi de Dieu, ce qui causa sa chute et sa punition;
— exerçant un grand pouvoir sur ses serviteurs (les démons)
  et sur le monde;
— étant capable de s'introduire dans l'homme et de le posséder
  pour lui apporter vice et trouble mental;
— pouvant séduire l'homme afin de l'entraîner vers le mal[1].

Le diable est un objet culturel. Il fait partie de l'ensemble des
systèmes et des relations symboliques qui structurent notre monde.

Que peut-on ressentir face à un tel être ? Certainement de la
peur, de l'angoisse et de la frayeur; mais on peut aussi se liguer
avec lui contre l'autorité de Dieu ou compter sur son pouvoir afin
d'obtenir ce qu'on ne réussit pas à se procurer par des moyens
naturels.

La croyance au diable, évidemment, évolue selon le moment
historique, le milieu culturel, le contexte dans lequel elle est insérée
(religieux, superstitieux, folklorique, artistique, psychopathologique).

Le diable a traversé les siècles triomphalement. Sa forme change,
mais pas ses caractéristiques principales : le mal qu'il veut et peut
faire et la puissance dont il est doué. Il est toujours là dans l'imagination, mauvais, mystérieux, terrifiant (comme nous le montrent
les cauchemars, les souvenirs-écrans, les délires, les superstitions, la
littérature, les films, les expressions de la langue).

Il est facile de dire que le diable est bien partout, mais que ce
n'est là que littérature ou œuvre d'imagination, tandis que les gens
n'y croient plus, nourris de science positive et après un peu plus
de deux siècles de Lumières. Mais qu'est-ce que croire et qu'est-ce
que ne pas croire ? Cela se limite-t-il à la croyance consciente, acceptée
et proclamée ? Et combien d'entre nous peuvent-ils affirmer que
jamais ils n'ont été superstitieux, que jamais ils n'ont cru apercevoir

1. Cf. *Enciclopedia catolica*, Vaticano, Libro Catolico, 1951; A. LALANDE, *Vocabulaire
technique et critique de la philosophie*, Paris, PUF, 1968; P. ROBERT, *Dictionnaire alphabétique
et analogique de la langue française*, Paris, Dictionnaire Le Robert, 1978.

un fantôme, qu'ils ne s'inquiéteraient pas si un objet se mettait à brûler tout seul, qu'un mauvais démon ne sommeille pas quelque part dans leur inconscient refoulé, capable de ressurgir dans un rêve ou dans un symptôme aussitôt que leurs défenses faiblissent ?

Mis à part les religions, il y a quatre domaines dans lesquels le diable se manifeste particulièrement :

1 / L'histoire, qui nous apprend que du XIIIe à la fin du XVIIe siècle, partout en Europe, des milliers de personnes furent brûlées à la suite de procès de sorcellerie. On les avait jugées coupables de s'être données corps et âme au diable, d'avoir renoncé à Dieu et, sous les ordres du diable, d'avoir commis toutes sortes de crimes (meurtres d'enfants, assassinats en général, sorts jetés pour faire périr les animaux ou rendre la terre stérile, etc.). Ces personnes furent torturées, avouèrent (ou non) et, en général, repentantes ou pas, furent brûlées. Face à elles surgirent des inquisiteurs, qui étaient chargés de découvrir le pacte diabolique, de déceler la marque inscrite par le diable sur le corps des sorcières et des sorciers et de retrouver la vérité sur les crimes commis, tandis que des exorcistes s'efforçaient d'expulser le diable des corps qu'il possédait[1].

2 / La littérature, où le diable est le personnage principal d'œuvres innombrables et connues de tous.

3 / L'art, notamment la peinture et la sculpture, surtout au Moyen Age et à la Renaissance.

4 / La psychiatrie qui, quand les sorciers et possédés ne furent plus brûlés (en France à partir de l'édit royal de 1682), les prit en charge[2]. Elle les déclara démonopathes ou, comme Esquirol, les définit comme souffrant d'imbécillité[3]. En les appelant dégénérés et faibles d'esprit, la psychiatrie essaya d'ôter toute valeur aux possédés.

1. J. CARO-BAROJA, *Les sorcières et leur monde*, Paris, Gallimard, 1972; J. DELUMEAU, *La peur en Occident*, Paris, Fayard, 1978; R. MUCHENBLED, *La sorcière au village*, Paris, Gallimard, 1978.

2. La suppression des procès de sorcellerie n'anéantit pas les sorciers, qui existent toujours dans nos campagnes et ne sont que rarement amenés à l'hôpital psychiatrique. Ce qui arrive parfois aux possédés.

3. ESQUIROL, *Des maladies mentales considérées sous le rapport médical, hygiénique et médico-légal*, Paris, 1838.

Et la psychanalyse ? Freud, qui récupéra le névrosé, le rêveur, l'enfant, le psychotique, a-t-il sauvé aussi le diable de l'absurde accusation d'être le maître des faibles d'esprit; a-t-il délivré le possédé du statut d'imbécile dégénéré ?

C'est cette question que nous avons choisie comme thème de notre étude :

— cerner le diable en tant qu'objet de la pensée et des fantasmes de Freud;
— étudier la psychanalyse appliquée que Freud a faite du diable, avec ses affirmations, ses contradictions, ses silences, ses reprises, ses abandons, ses changements, ses parties incomplètes, sa progression en « spirale »[1].

Freud entretient, comme tout un chacun, des rapports avec de nombreux systèmes d'idées. Il privilégie certains d'entre eux, notamment la science en général et sous plusieurs de ses formes (biologie, neurologie, psychiatrie, optique, électricité, hydraulique...).

Mais, d'une façon qui nous semble avoir été relativement sousestimée jusqu'à présent, Freud est lié aussi à des systèmes non scientifiques, tels que la littérature, l'art, la mythologie, la religion.

Dans cette étude, nous nous attachons à saisir le rapport de Freud au système mythico-magico-religieux, en centrant notre réflexion sur un point précis et important de celui-ci : le diable. La question qui nous intéresse n'est pas celle de la croyance ou de l'incroyance; nous cherchons un dépassement de celles-ci à l'aide d'un éclairage susceptible de permettre une meilleure compréhension.

Premièrement, notre méthode a consisté à resituer Freud dans son milieu en ce qui concerne notre objet d'étude : ses origines, sa culture, ses maîtres, ses interlocuteurs privilégiés, ses patients, ses disciples. L'intérêt passionné que le diable lui inspire est souvent suscité chez Freud par son milieu et ce que l'on remarque chez lui est sa réponse ou son absence de réponse ou, en général, la modalité de sa réaction. Ce sont parfois les disciples de Freud qui amènent le sujet du diable. A ce propos, une relation constante s'établit entre

---

1. J. LAPLANCHE, *Problématiques*, I : *L'angoisse*, Paris, PUF, 1980, p. 13.

les textes de Freud et ceux de ses premiers élèves, d'abord parce que Freud s'est entouré de personnes intéressées par le diabolique, comme Jung, Ferenczi, Rank, Reik, Lou Salomé, etc.; et ensuite, parce que certaines idées concernant le diable semblent ou bien provenir des disciples, ou bien, une fois abandonnées par Freud, être reprises et développées par eux.

Deuxièmement, notre méthode a consisté en une « étude du texte freudien, littérale, critique et interprétative »[1], insérant les passages concernés dans le contexte de l'œuvre et (en partie) de la vie de Freud.

---

1. J. LAPLANCHE, *Vie et mort en psychanalyse*, Paris, Flammarion, 1970, p. 9.

CHAPITRE PREMIER

PREMIÈRES INFLUENCES

Freud vint au monde dans une famille juive non pratiquante, mais qui l'initia dès son plus jeune âge à la connaissance de sa religion ancestrale. Certains signes nous le prouvent, parmi lesquels la dédicace écrite sur la Bible offerte par son père à l'occasion de ses trente-cinq ans, où il est question de l'Esprit du Seigneur et des paroles qu'il adressa à Freud lors de sa septième année pour l'inciter à étudier son Livre et accéder ainsi aux sources de la connaissance intellectuelle[1]. Un autre indice nous est fourni par les associations au rêve dit des « Trois Parques », qui amènent Freud à se souvenir qu'à l'âge de six ans sa mère lui enseigna que nous étions faits de terre et devrions retourner à la terre (allusion à la Genèse : « Tu es glaise et tu retourneras à la glaise »[2] [3]).

Jones qui, dans sa biographie, rejette tout le côté irrationnel de Freud s'empresse de dire que, quand celui-ci prétend à plusieurs reprises avoir été influencé par la lecture de la Bible, il ne peut

1. Lettre citée par E. JONES, *La vie et l'œuvre de Sigmund Freud*, Paris, PUF, 1958, vol. I, pp. 21-22, et par M. SCHUR, *La mort dans la vie de Freud*, Paris, Gallimard, 1975, p. 45.
2. Genèse, 3, 14 - 4, 14, *Bible de Jérusalem*, Paris, Desclée de Brouwer, 1975, p. 20.
3. S. FREUD, *L'interprétation des rêves*, Paris, PUF, 1976, pp. 181-182, *GW*, II/III, pp. 210-211. Tout au long du présent ouvrage l'abréviation *GW* signifie *Gesammelte Werke*, Londres, Imago, 1940-1952, tandis que *SE* indique *The Standard Edition of the Complete Psychological Works of Sigmund Freud*, éd. par J. STRACHEY, Londres, The Hogarth Press, 1953-1966.

l'affirmer que dans un sens éthique et historique, car il avait grandi dépourvu de toute croyance et ne semble pas en avoir ressenti le besoin[1]. Mais Jones a tort, il souffre d'un préjugé et croit que l'image de Freud serait abîmée si l'on savait qu'il ait eu une quelconque croyance.

La famille de Freud était influencée par le courant hassidique, important dans la région d'où elle était originaire. L'hassidisme est une forme tardive du mysticisme juif. Il réinterprète la kabbale d'une façon qui encourage à secouer le joug de la loi mosaïque et à lui préférer une inspiration cryptomnésique, accompagnée d'une technique de décomposition du langage, d'associations libres et d'interprétation des rêves, par laquelle une signification magique est attribuée aux lettres, aux chiffres et aux mots[2].

Le lien entre cette ambiance religieuse familiale et le diable se situe dans l'existence d'éléments magiques, peut-être superstitieux, dans la rébellion (partielle) contre la loi établie et dans le pouvoir attribué aux forces obscures.

Mais, d'autre part, la famille de Freud était soumise aussi à des influences catholiques, tout au moins pendant la petite enfance de Sigismund, car Freiberg en Moravie, sa ville natale, était une petite agglomération de cinq mille habitants, catholiques dans leur immense majorité. Plus encore, les Freud louaient une partie de leur maison à une famille tchèque catholique, dont une fille était domestique chez eux et s'occupait particulièrement du petit Sigismund.

Adolescent, Freud s'initie avec passion à la culture classique et allemande et acquiert un savoir considérable. A travers ses citations, par exemple, nous constatons qu'il sait par cœur le *Faust* de Gœthe.

Comme le jeune Gœthe, il se sent proche de la « Philosophie de la nature », courant philosophique influencé par le romantisme, qui s'efforce de pénétrer, grâce à l'*Einfühlung*, les secrets des fondements de la nature, surtout dans leurs manifestations irrationnelles, telles que le rêve, le génie, la maladie mentale et les puissances cachées. C'est l'écoute de l'*Hymne à la nature*, attribué à Gœthe, qui décida Freud à faire des études de médecine.

1. E. JONES, *La vie et l'œuvre de Sigmund Freud*, Paris, PUF, 1958, vol. I, p. 22.
2. Cf. D. BAKAN, *Freud et la tradition mystique juive*, Paris, Payot, 1977.

Ces premières sympathies laissèrent des traces très profondes chez Freud, non seulement parce qu'il s'en inspira pour certaines de ses idées, comme le montre par exemple Ellenberger[1], mais aussi parce qu'elles continuèrent à exister en lui comme sentiments et attirances, faisant partie de tout un courant d'irrationalité qui, bien que combattu, est très fort chez lui. Cette tendance s'insère dans le modèle mythico-magico-religieux dont nous avons parlé et, par là, s'apparente à la magie et à la recherche de connaissances secrètes (comme c'est le cas pour Faust).

Au cours de ses études de médecine, Freud fit la rencontre de Brücke, événement qui s'avéra décisif pour l'orienter vers la science et le matérialisme et stimula chez lui un pôle de pensées et d'intérêts opposé à celui qui l'attirait précédemment. Freud ne se libéra jamais plus de l'attraction vers un pôle rationnel et vers un pôle irrationnel, entre lesquels il oscilla toute sa vie.

Brücke prit, dans l'esprit de Freud, la place d'un idéal du moi scientifique. Il était bien placé pour assumer cette fonction, étant donné son caractère juste et sa ferme conviction. Il faisait partie de l'école de Helmholtz, qui se proposait de détruire le vitalisme et, en même temps, réclamait pour elle-même une sorte de foi, comme le prouve le serment échangé par ses tenants d'établir partout la vérité de la formule qui proclame qu' « aucune autre force que les forces physico-chimiques courantes n'est en action dans l'organisme »[2].

Mais l'irrationnel chassé revient. Freud, dans les lettres écrites à cette époque à sa fiancée Martha, s'avoue maintes fois superstitieux. Ainsi, dans une lettre du 4 juillet 1882, il lui demande de glisser une pièce de monnaie dans une tirelire, car « tout métal a le pouvoir magique d'en attirer d'autres... » ... « Tu sais que je suis devenu superstitieux »[3]. Et encore, le 26 août 1882, un mois après que Martha lui eut offert une bague, il lui écrivit : « En ton âme et conscience,

---

1. H. ELLENBERGER, *A la découverte de l'inconscient*, Villeurbanne, Simep, 1974.
2. Cité par D. ANZIEU, *L'auto-analyse de Freud*, Paris, PUF, 1975, p. 65.
3. Lettre citée par E. JONES, *La vie et l'œuvre de Sigmund Freud*, Paris, PUF, 1958, t. I, p. 171.

dis-moi si jeudi dernier à 11 heures tu m'aimais moins... », parce que, s'il n'en avait pas été ainsi, l'occasion se serait présentée pour lui de mettre fin à une superstition, puisque, à l'heure dite, la bague s'était fendue. Freud ajoute des (dé)négations : il n'a pas été pris du pressentiment que leurs fiançailles seraient rompues et il n'a pas eu le noir soupçon qu'à ce même moment elle chassait son image de son cœur[1].

Evidemment, à cette époque, Freud est gêné par la souffrance que ses superstitions lui causent, mais il est disposé à admettre leur existence dans son esprit; elles ne sont pas encore inconciliables avec lui.

Nous rapprochons la superstition du domaine du diable, car elle suppose la croyance à l'existence de forces secrètes, obscures, plus ou moins mauvaises ou dangereuses, agissant de façon automatique et derrière lesquelles se cache un pouvoir inquiétant, sans doute très éloigné de celui de Dieu et, bien plus encore, de la raison et de la science.

Les allusions métaphoriques au diable et à son rapport à l'inconscient apparaissent très tôt.

Le 6 août 1878, Freud écrit à son ami Whilhelm Knöpfmacher pour le remercier de lui avoir prêté une somme d'argent. Il lui envoie ses œuvres (l'article sur le *Petromyzon planeri*) et lui exprime qu'il pressent « poindre [d'autres travaux] dans mon esprit qui s'en effraye comme Macbeth devant les spectres des rois anglais : « Quoi ! la lignée s'étend jusqu'au coup de tonnerre du jugement ? » ». Il se prépare à exercer sa véritable profession : « écorcher des animaux ou torturer des hommes... »[2].

Le 10 novembre 1883, Freud écrit à Martha pour lui expliquer ses explosions occasionnelles de mauvaise humeur : elles sont le résultat de sa nature violente et passionnée; il est « comblé de toutes sortes de démons qui ne peuvent sortir » et grondent en lui ou « se trouvent lâchés contre toi, ma chérie »[3].

Nous voyons là des proto-définitions de l'inconscient « diabo-

---

1. Lettre citée par E. JONES, *ibid.*, p. 171.
2. S. FREUD, *Correspondance 1873-1939*, Paris, Gallimard, 1966, pp. 15-16.
3. Lettre citée par E. JONES, *La vie et l'œuvre de Sigmund Freud*, Paris, PUF, 1958, t. I, p. 215.

lique ». D'abord les œuvres pointent dans son esprit d'une façon qui semble indépendante de sa volonté, puis elles évoquent des spectres — êtres effrayants, plus ou moins apparentés aux démons — et, enfin, le jugement dernier est mentionné — donc l'enfer est en arrière-plan comme issue possible.

La violence et la passion sont des démons plus ou moins refoulés ou réprimés; c'est la première fois que Freud se sert de cette métaphore diabolique pour le refoulé[1].

1. Comme le fait Freud, nous utilisons diabolique et démoniaque comme synonymes. Le *dâmon* grec est pratiquement absent de sa pensée. Les démons apparaissent chez Freud dans l'acception de serviteurs du diable ou d'esprits mauvais.

CHAPITRE II

LA RENCONTRE AVEC CHARCOT

En octobre 1885, Freud, ayant obtenu une bourse pour ses études, arrive à Paris, où il occupe presque tout son temps à travailler dans le service de Charcot.

Ce séjour le marque à tout jamais car, avant cette période, il s'occupait de neurologie, tandis qu'après il s'intéressera à l'hystérie et à l'hypnose et se dirigera vers ce qui va devenir la psychanalyse. L'influence de Charcot a été décisive.

Charcot était, depuis 1862, médecin-chef d'un des plus grands services de la Salpêtrière. A son arrivée dans cet hôpital, une population hétérogène, composée de mendiants, de prostituées, de fous et de vieilles femmes, s'y entassait. Charcot réorganisa cet ensemble et, notamment, s'intéressa aux hystériques et les prit au sérieux, ne les considérant ni comme des simulatrices (hypothèse psychiatrique du XIXe siècle), ni comme des victimes d'une maladie des organes sexuels féminins (hypothèse médicale soutenue pendant des siècles et remontant à l'Antiquité).

Il décrivit la grande hystérie : ses attaques, les zones hystérogènes dont la stimulation peut déclencher une crise, les troubles de la sensibilité (parmi lesquels les zones anesthésiques non saignantes considérées au Moyen Age comme *stigmata diaboli*), les paralysies et les contractures. C'est-à-dire qu'il reconnut comme réels (ni diaboliques, ni imaginaires, ni produits de la simulation) certains des symptômes attribués précédemment à la possession. Comme les malades ne pouvaient expliquer l'origine de leur souffrance, Charcot se tourna vers l'observation et décrivit la condition psychique des hystériques comme analogue à celle des hypnotisés. Il s'agit, dans les deux cas, d'une division de la conscience : une idée pénètre dans le cerveau et s'y loge, réussissant à dominer[1], acquérant une force énorme[2] et produisant un choc[3]. L'apparition des symptômes hystériques est la conséquence de cet enchaînement de faits.

Charcot s'intéressait aussi à la possession diabolique et était, à juste titre, considéré comme l'inventeur d'une explication scientifique de cet état le définissant comme une forme d'hystérie[4]. Le malade, disait-il, devenait « comme un autre », changeait d'expression, de voix, de gestes, était insupportable, prenait des positions effrayantes et illogiques. Tout d'un coup, cela cessait et le patient rentrait dans le monde ordinaire[5].

Charcot rechercha ces mêmes gestes et attitudes dans les peintures des siècles passés représentant des possédés et conclut que tous les traits et les attitudes pathologiques de l'hystérie s'y retrouvaient exactement[6]. L'hypothèse de Charcot n'est pas éloignée de l'explication religieuse de la possession; le diable a simplement changé de nom, il est devenu une idée d'une force énorme, venue de l'extérieur et installée comme un parasite. Il existait donc une part de vérité dans la théorie religieuse; il fallait simplement la réinsérer dans un contexte adéquat et en écarter les éléments qui l'encombraient (peur, haine, masochisme...).

Freud fut très impressionné par Charcot, autant par ses connaissances que par sa personnalité, y compris le versant magique de celle-ci. Il fut frappé aussi par l'ambiance qui l'entourait : le lien fantasmé établit en ce temps-là entre hypnotisme et magie, l'atmosphère

1. J.-M. CHARCOT, L'hystérie, textes choisis par F. TRILLIAT, Paris, Privat, 1971, p. 94.
2. Ibid., p. 103.
3. Ibid., p. 94.
4. H. ELLENBERGER, A la découverte de l'inconscient, Villeurbanne, Simep, 1974, p. 83.
5. J.-M. CHARCOT, L'hystérie, textes choisis par F. TRILLIAT, Paris, Privat, 1971, pp. 198-209.
6. J.-M. CHARCOT et P. RICHER, Les démoniaques dans l'art, Paris, Delahaye & Lecrosnier, 1887.

un peu diabolique de la Salpêtrière (femmes en proie à des crises consistant en mouvements bizarres et cris stridents, plus ou moins dévêtues, « obéissant » exactement au « maître », c'est-à-dire des scènes que l'on pourrait rapprocher de celles du Sabbat)[1].

Freud fait état tout de suite de son admiration pour Charcot. Le 24 novembre 1885, il écrit à sa fiancée : « ... je crois que je change beaucoup. Je vais te raconter en détail ce qui agit sur moi. Charcot, qui est l'un des plus grands médecins et dont la raison confine au génie, est tout simplement en train de démolir mes conceptions et mes desseins. Il m'arrive de sortir de ses cours comme si je sortais de Notre-Dame, tout plein de nouvelles idées sur la perfection. Mais il m'épuise et, quand je le quitte, je n'ai plus aucune envie de travailler à mes propres travaux, si insignifiants... aucun autre homme n'a jamais eu autant d'influence sur moi... »[2].

Huit ans après, dans la préface à la traduction des *Leçons du mardi*, Freud dit que « ... pour quelqu'un qui a fait partie de son auditoire, le souvenir du regard et de la voix du maître revit et reviennent les heures précieuses au cours desquelles la magie de sa grande personnalité lia irrévocablement ses auditeurs aux intérêts et aux problèmes de la neuropathologie »[3].

A ce moment, Charcot prend la place de Brücke comme idéal du moi de Freud. En conséquence, Freud passe de la science théorique de l'époque aux faits (« La théorie, c'est bon, mais ça n'empêche pas d'exister »)[4], mouvement dont on ne saurait surestimer l'importance pour la découverte de la psychanalyse.

Freud, dans les années suivantes, oscillera entre une position voisine de celle de Charcot (les faits plus une dose de magie) et une attitude rapprochée de celle de Brücke (la théorie, le *substratum* neurologique, le matérialisme scientifique). Cette oscillation vient se superposer à la précédente entre Philosophie de la nature et science matérialiste.

Charcot semble un prédécesseur, plus « réel » et moins trans-

---

1. H. ELLENBERGER, *A la découverte de l'inconscient*, Villeurbanne, Simep, 1974.
2. S. FREUD, *Correspondance 1873-1939*, Paris, Gallimard, 1966, p. 197.
3. S. FREUD, Préface de la traduction des *Leçons du mardi*, SE, t. 1, pp. 135-136. (Traduction de L. de U.)
4. Phrase de Charcot citée par FREUD dans « Footnotes to Charcot », SE, t. 1, p. 139.

férentiel, de Fliess. Il est aussi un anti-Breuer, quelqu'un que la passion des femmes n'effraye pas. Peut-être, pour Freud, est-il un homme qui, comme Enée à qui Freud pensera bientôt, a fait le voyage des enfers.

L'intérêt porté par Charcot à la possession nous semble influencer aussi Freud. C'est ce que nous montrent les lettres écrites à Martha pendant cette période, où l'usage métaphorique du diable et du diabolique revient plusieurs fois.

Par exemple, le 3 décembre 1885, il écrit : ... « J'ai une vue d'ensemble de Paris et je pourrais devenir très poétique, le comparer à un Sphinx gigantesque [le Sphinx semble signifier ici un monstre diabolique, tandis que Freud se présente déjà comme Œdipe] et pimpant qui dévore tous les étrangers incapables de résoudre ses énigmes... ». « Qu'il me suffise de te dire que cette ville et ses habitants n'ont vraiment rien qui me rassure, les gens m'ont l'air d'appartenir à une tout autre espèce que nous [signalons l'autre], je les crois tous possédés par mille démons et je les entends crier : « A la lanterne » et « A bas Untel » au lieu de « Monsieur » et « Voilà *L'Echo de Paris* ». Je crois qu'ils ignorent pudeur et peur ; les femmes, comme les hommes, se pressent autour des nudités comme autour des cadavres de la Morgue ou des horribles affiches dans les rues... ». « C'est le peuple des épidémies psychiques, des convulsions histo- riques de masse... »[1].

Freud identifie Paris à l'aspect diabolique de Charcot et de la Salpêtrière. Il y a aussi un lien à établir entre diabolique, nudité et mort-assassinat. Le Sphinx-Paris est probablement la Salpêtrière et les hystériques. Peut-être, trahissant Brücke, Freud se sent-il dia- boliquement intéressé par tout cela. Car ces diables lui plaisent aussi, puisque dans *L'interprétation des rêves*, en association à un rêve d'excré- ments, il raconte que la plate-forme de Notre-Dame, pleine de gar- gouilles sculptées en forme de démons et de monstres diaboliques, était l'endroit qu'il préférait à Paris[2].

---

1. S. FREUD, *Correspondance 1873-1939*, Paris, Gallimard, 1966, p. 200. [Entre crochets, commentaires de L. de U.]
2. S. FREUD, *L'interprétation des rêves*, Paris, PUF, 1976, p. 469 ; *GW*, II/III, pp. 472-473.

CHAPITRE III

LE DIABLE = L'INCONSCIENT

Cette idée est certainement le résultat de l'influence de Charcot mais déjà l'expérience clinique de Freud s'y ajoute.

Elle est exposée pour la première fois dans un article presque contemporain de la « Communication préliminaire », dont le titre est « Un cas de guérison par l'hypnose avec des remarques sur l'origine des symptômes névrotiques à l'aide de la « contre-volonté » »[1], qui fut publié en décembre 1892 et janvier 1893. Il s'agit de l'histoire d'une jeune femme, hystérique « d'occasion », qui, malgré son désir, se trouvait dans l'impossibilité d'allaiter ses enfants, à la suite de l'apparition d'une série de symptômes — vomissements, insomnie, manque d'appétit, douleurs. Freud réussit, grâce à l'hypnose, à faire disparaître ces symptômes, lors de l'allaitement du deuxième, puis du troisième enfant.

Pour expliquer ces phénomènes pathologiques, Freud décrit deux sortes de représentations qui s'accompagnent d'affects d'attente : l'intention de faire soi-même quelque chose et l'attente de quelque événement qui pourrait se produire. D'autres représentations, antithétiques et désagréables, viennent contrecarrer les représentations d'attente, par exemple « je ne réussirai pas » ou « toutes sortes de choses désagréables se produiront »[2].

1. S. FREUD, Ein Fall von hypnotischer Heilung nebst Bemerkungen über die Entstehung hysterischer Symptome durch den « Gegenwillen », *GW*, I, pp. 1-17.
2. *Ibid.*, pp. 8-9. (Traduction de L. de U.)

Chez l'hystérique, qui a une tendance à la dissociation de la conscience, la représentation antithétique désagréable est retirée du circuit des associations mais continue d'exister, souvent inconsciemment, comme représentation sans connection. Quand le moment de réaliser l'intention arrive, la représentation antithétique s'impose *(sich objektiviert)* par une innervation corporelle, comme le ferait, dans des circonstances normales, une volition. Elle s'installe ainsi comme une « contre-volonté », au grand étonnement du patient, dont la décision consciente est ferme, mais impuissante[1].

Dans le cas de la jeune femme décrite dans cet article, la contre-volonté était celle de ne pas allaiter l'enfant. Elle produisait chez la malade tous les symptômes qu'une simulatrice avancerait comme excuse, mais tout en exerçant sur le corps un pouvoir bien plus considérable, accompagné de signes objectifs. Il s'agit d'une perversion de la volonté[2].

L'existence des idées antithétiques permet de comprendre les phénomènes hystériques, par exemple les délires des religieuses du Moyen Age qui prenaient la forme de blasphèmes et de langage érotique effréné[3]. Ce qui a été supprimé revient ct s'impose ainsi par l'intervention de la contre-volonté[4].

« Ce surgissement d'une contre-volonté est responsable du caractère démoniaque que l'hystérie exhibe si souvent, c'est-à-dire du fait que les patients ne peuvent pas faire ce qu'ils souhaitent le plus passionnément et font exactement le contraire de ce qu'on leur demande »[5].

Voici la première caractérisation du démoniaque que Freud propose : la contre-volonté, son caractère d'étrangère au sujet et son pouvoir contraignant, produits par la suppression préalable. Ces traits sont vécus par le patient comme désagréables et mauvais. *Nous remarquons tout de suite qu'il s'agit également d'une caractérisation de l'inconscient et que, par conséquent, dans cette définition, le démoniaque et l'inconscient sont analogues.*

La métaphore inconscient = diable est déjà là. Peut-être en était-il

1. *Ibid.*, p. 10.
2. *Ibid.*, p. 11.
3. *Ibid.*, p. 14.
4. *Ibid.*, p. 14.
5. *Ibid.*, p. 14.

ainsi de tout temps et le diable désignait-il l'inconscient, mais il a fallu que Freud, lui, le dise. Probablement, une partie de la lutte séculaire de l'humanité contre le diable s'adressait-elle en vérité à l'inconscient.

Dans la vie normale, les contre-volontés ou intentions inhibées ne sont pas moins démoniaques : emmagasinées, elles mènent une existence cachée dans une sorte de royaume des ombres, jusqu'à ce qu'elles émergent comme de mauvais esprits et prennent le contrôle du corps[1]. C'est-à-dire que, même hors de l'hystérie, la présence des intentions inhibées représente toujours un danger, une possession latente.

En 1893, dans l'article nécrologique sur Charcot[2], Freud expose à nouveau ces idées : la théorie du clivage de la conscience est une solution à l'énigme de l'hystérie. Le Moyen Age, en déclarant que la possession par le diable était la cause des phénomènes hystériques, a choisi la même explication. Il n'y a qu'à substituer à la terminologie religieuse de « cet âge obscur et superstitieux le langage scientifique de nos jours »[3]. La théorie de l'hystérie, grâce au remplacement du diable de l'imagination cléricale par une formulation psychologique, coïncide avec l'hypothèse moyenâgeuse[4]. Ainsi Freud ne craint pas de reconnaître la continuité de sa théorie avec les hypothèses religieuses; il accepte de se situer sur le trajet commencé par elles et de conserver leurs éléments positifs, tout en changeant le nom de la cause efficiente.

A ce moment, pour Freud, la formule psychologique de l'hystérie est semblable au diable de l'imagination cléricale. Par conséquent, *le diable équivaut au futur inconscient refoulé* qui, supprimé du courant associatif, fait retour et s'impose. Cet inconscient contrôle le corps, comme le fait le diable dans les cas de possession.

La différence entre les deux explications consiste en ce que le diable de l'imagination cléricale est censé venir de l'extérieur du possédé et lui être réellement étranger, tandis que la contre-volonté trouve son origine à l'intérieur du malade et lui appartient, bien

1. *Ibid.*, p. 15.
2. S. FREUD, Charcot, *GW*, I, pp. 21-35.
3. *Ibid.*, p. 31.
4. *Ibid.*, p. 34.

que, parce qu'elle est inconciliable avec lui, il l'ait rejetée hors de sa conscience. Freud innove aussi en introduisant le clivage de la conscience, concept qui avait déjà été utilisé dans d'autres théories psychopathologiques (par exemple par Morton Prince et par Janet), mais en l'attribuant à d'autres causes.

L'influence de Charcot ne doit pas être écartée : au moment du trauma, une représentation pénètre dans le patient, s'impose à lui, demeure dans son psychisme et le domine[1]. Mais cette influence s'étaye sur les fantasmes précédents de Freud, comme celui des démons enfermés de sa lettre à Martha[2], que nous pourrions comparer aux représentations antithétiques emmagasinées.

En 1897, dans la lettre 56 à Fliess, du 17 janvier 1897, Freud reprend : « Tu te souviens de m'avoir *toujours* entendu dire que la théorie médiévale de la possession, soutenue par les tribunaux ecclésiastiques, était identique à notre théorie du corps étranger et de la dissociation du conscient »[3]. Ce « toujours » indique, naturellement, que Freud en a beaucoup parlé à Fliess, et qu'il s'agit donc d'une idée importante pour lui. S'il s'y est largement intéressé, ce n'est pas seulement par rapport aux énigmes que lui posait l'inconscient étranger et diabolique de ses patients, mais aussi à cause de son propre inconscient mystérieux. Lui-même est affligé de contre-volontés qui le possèdent par moments et qu'il serait peut-être enclin à considérer de façon superstitieuse. Transformer l'inconscient en diable lui permet de dépasser cet obstacle à la compréhension et de l'intégrer à sa théorie du conflit. A son tour, l'inconscient comparé au diable permet à Freud de mieux comprendre, par analogie, la crainte qu'il inspire et les efforts destinés à le maintenir écarté de la conscience.

1. Cf. plus haut p. 17.
2. Cf. plus haut p. 14.
3. S. Freud, *La naissance de la psychanalyse*, Paris, puf, 1973, p. 165 ; *Aus den Anfängen der Psychoanalyse*, Londres, Imago, 1975, p. 162. (Italiques de L. de U.)

CHAPITRE IV

FREUD, SES HYSTÉRIQUES
ET LE PÈRE SÉDUCTEUR DIABOLIQUE

Dans la période précédant l'auto-analyse, Freud nous apparaît entouré de ses patientes hystériques possédées par leur inconscient « diabolique ». Regardées de près, elles peuvent être considérées comme plus ou moins « sorcières ».

Freud, encore sous l'influence de Charcot, son maître-magicien, tiraillé entre lui et la « science », entouré de sa clientèle de femmes-sorcières, que fait-il ? Il cherche une cause aux symptômes (le trauma sexuel) et, peu à peu, une vérité cachée. C'est ainsi qu'il avance vers la théorie de la séduction et notamment de la séduction par le père.

La contre-volonté provenait de l'individu. A présent, la séduction provient de l'extérieur : du séducteur, du père, du tentateur...

Les sorcières, Freud ne l'ignorait pas après son séjour chez Charcot, avaient conclu un pacte avec le diable, dont l'établissement avait pour condition essentielle le rapport sexuel avec lui.

La lettre 52, à Fliess, du 6 décembre 1896, présente la première affirmation catégorique de Freud concernant la séduction par le père : « L'hystérie me semble toujours davantage résulter de la perversion du séducteur, l'hérédité s'ensuit d'une séduction par le père »[1].

La lettre 60, du 28 avril 1897, illustre, grâce à un petit échantillon,

---

1. S. FREUD, *La naissance de la psychanalyse*, Paris, PUF, 1973, p. 159; *Aus den Anfängen der Psychoanalyse*, Londres, Imago, 1975, p. 155.

les termes du dialogue de Freud à ce sujet avec ses patientes. Une jeune fille lui a déclaré qu'il y avait un obstacle à son traitement : elle tenait à ménager les autres. Freud refuse : il ne faut rien taire. « ... Quand je considère que les gens les meilleurs, ceux qui ont de nobles principes, peuvent se rendre coupables d'actes pareils, je suis bien obligée de me dire que c'est une sorte de maladie, de folie, et qu'alors je dois les en excuser », dit-elle. — Alors, parlons nettement. Dans mes analyses, je découvre que ce sont les plus proches parents, le père ou le frère, qui sont les coupables, dit Freud. — Mon frère n'a rien à y voir. — Alors ce fut votre père. » Et Freud apprend que ce noble père se livrait sur sa fille à des éjaculations externes. *Quod erat demonstrandum*, écrit-il à Fliess[1].

Voilà un matériel pour la « construction » du père-diable : Freud croit à la séduction par le père, la séduction est l'apanage du diable, les sorcières, séduites par le diable, ont eu des rapports sexuels avec lui. Comment différencier, à présent, sorcières et hystériques ? Peut-être les sorcières sont-elles consciemment consentantes, mais est-ce là une différence importante ? Toutes les hystériques ne deviennent-elles pas sorcières à ce moment de la pensée de Freud ?

Cette lettre 60 se situe sur un parcours commencé bien avant :

— Anna O., d'après le récit que Breuer fit à Freud en 1882, présentait des symptômes qui auraient pu être attribués à la possession : un état où elle était comme une « autre », méchante, vociférant, déchirant et frappant; elle avait deux « moi », un « vrai » et un autre « mauvais »; dans ses hallucinations, elle voyait des serpents; elle avait un problème de langues...[2].

— Emmy von N., en 1888 ou 1889, était préoccupée des animaux du Sabbat : serpents, monstres à tête de vautour, crapauds... Une fois, un monstre à tête de vautour becqueta et mordit tout son corps (le rapport sexuel avec le diable ?)[3].

Dans la discussion de ce cas, Freud, à propos des phobies de cette patiente, dit que quelques-unes correspondent aux phobies primaires des hommes et surtout des névropathes : crainte de certains

1. *Ibid.*, p. 155.
2. J. BREUER, Mademoiselle Anna O., in *Etudes sur l'hystérie*, Paris, PUF, 1973.
3. S. FREUD, Mme Emmy von N., in *Etudes sur l'hystérie*, Paris, PUF, 1973, *GW*, I, p. 115.

animaux, tels que serpents, crapauds et vermine dont Méphistophélès
se vante d'être le grand maître[1].

Il s'agit là encore des animaux du Sabbat, cette fois accompagnés
de leur « seigneur ». Freud fait allusion à des vers prononcés par
Méphistophélès à la fin de la première scène du « Cabinet de travail »,
au moment où il fait appel à un rat afin de lui ordonner de ronger
le pentagramme qui l'empêche de sortir. Il dit :

> « Le Maître des rats et souris,
> Des puces, crapauds, punaises et poux,
> T'ordonne de sortir de ton trou
> Et de grignoter ce seuil,
> . . . . »[2].

Si la citation de Méphistophélès n'est pas due au hasard, sup-
position irrecevable en psychanalyse, on peut se demander quelle
est sa signification dans l'esprit de Freud à ce moment. Nous croyons
que Méphistophélès vient tout naturellement prendre la place du
séducteur, maître de ces mauvaises petites créatures qui sont en son
pouvoir; il représente donc une sorte de père de tout ce qui est
mauvais.

— Katarina, vers 1890, n'est pas une sorcière, elle se présente
plutôt sous la forme d'une *Gretchen*, mais elle a été séduite par son
père, méchant et vicieux, qu'elle hallucine depuis comme une sorte
de démon. Et Freud prend la place de celui qui est à la recherche
de la vérité, qui posera le père comme pervers et l'accusera, comme
le ferait un inquisiteur[3].

— Elisabeth von R., en 1892, fit à Freud dès le début l'impression
qu'elle connaissait les motifs de sa maladie, qu'elle ne renfermait
pas dans son inconscient un corps étranger, mais un secret. Freud
cite encore Gœthe : « Ce petit masque fait augurer un sens caché »[4] [5].

---

1. *Ibid.*, p. 68.
2. Gœthe, *Faust*, Paris, Aubier-Montaigne, 1976, p. 49.
3. S. Freud, Katarina, in *Etudes sur l'hystérie*, Paris, puf, 1973; *GW*, I.
4. Gœthe, *Faust*, Paris, Aubier-Montaigne, 1976, p. 118 : « Mon beau masque
lui révèle un mystère caché. »
5. S. Freud, Mlle Elisabeth von R., in *Etudes sur l'hystérie*, Paris, puf, 1973, p. 109;
GW, I, p. 200.

Ce sont les paroles que Méphistophélès attribue à Marguerite par rapport à lui-même; elle pressent que, sous son masque, il est un génie, et peut-être même le diable. C'est donc ce que Freud pensa d'emblée d'Elisabeth : elle était peut-être le diable ou sa créature. Le secret des deux jeunes filles (Elisabeth et Marguerite) était diabolique aussi : l'amour interdit et le désir de mort. Pour Elisabeth, c'était la facilité à tomber amoureuse d'un homme interdit (son beau-frère) et le vœu de mort à l'égard de sa sœur, obstacle à l'union avec l'être aimé; pour Marguerite, c'était, en plus de l'amour illégitime envers Faust, le meurtre de sa mère et de son enfant. Comme exemple de femmes ensorcelées par l'inconscient diabolique ou séduites par le mauvais père diable, on ne pourrait trouver mieux.

Dans « Psychothérapie de l'hystérie » (1895), Freud parle d'une dame qui le recevait armée d'un petit crucifix, « comme si j'étais Satan ». Il a réussi à lui faire évoquer les traumatismes oubliés et se demande par quel autre procédé que le sien on aurait pu les déceler chez cette malade récalcitrante, dressée contre tout remède temporel[1].

Freud, en se plaçant hors des remèdes temporels, accepte-t-il un rôle de Satan-sorcier ? Ou bien est-il l'exorciste ? C'est ambigu car il est sorcier dans la mesure où il évoque les mauvais désirs démoniaques et exorciste dans la mesure où il les fait disparaître. Cependant, l'accumulation de ces deux rôles, convoquer les démons et les renvoyer, est caractéristique du sorcier.

Finalement, la lettre 69, du 21 septembre 1897 (celle où Freud communique à Fliess son abandon de sa *neurotica*, c'est-à-dire de la théorie de la séduction), montre que *Freud, tel Faust, attendait de l'hystérie à peu près ce qu'on pourrait espérer d'un pacte avec le diable* : « Une célébrité éternelle, la fortune assurée, l'indépendance totale, les voyages, la certitude d'éviter aux enfants les graves soucis qui ont accablé ma jeunesse... »[2].

En même temps, tel un inquisiteur, il avait cru à la réalité « objective » des faits avoués et à l'intervention du séducteur, le père généralement.

---

1. S. FREUD, Psychothérapie de l'hystérie, in *Etudes sur l'hystérie*, Paris, PUF, 1973, p. 220; *GW*, I, p. 274.
2. S. FREUD, *La naissance de la psychanalyse*, Paris, PUF, 1973, pp. 192-193; *Aus den Anfängen der Psychoanalyse*, Londres, Imago, 1975, p. 188.

Freud imagine le père séducteur comme un diable et, aussi, le diable séducteur comme un père. Ceci en ce qui concerne ses patientes, mais certainement tout autant par rapport à lui-même. Nous apprécions ici le début d'un deuxième courant de pensée se référant au diable : le diable, c'est le père. Il vient se juxtaposer à la première signification : le diable, c'est l'inconscient.

En même temps qu'il dénonce le père séducteur, Freud cite Faust très fréquemment et apparaît tout disposé à signer un pacte avec le diable (= l'inconscient ou = le père) afin d'accéder à la connaissance et à tout ce qu'il décrit dans cette lettre 69 (célébrité, fortune, voyages, sécurité...).

C'est dire que *Freud évolue dans un registre sorcier-possédé-exorciste-inquisiteur*. Il assume ces positions parfois à tour de rôle, parfois simultanément, selon ses identifications du moment, en un mouvement qui se maintiendra, nous le verrons, sa vie durant.

Mais peut-être ce balancement n'est-il pas exclusif de Freud et se présente-t-il de la même façon chez tous les sorciers, les possédés, les inquisiteurs et les exorcistes. Dans ce cas, Freud ferait partie de leur légion.

CHAPITRE V

L'AUTO-ANALYSE
COMME DESCENTE AUX ENFERS

Les lettres à Fliess et *L'interprétation des rêves* sont les témoins inséparables de l'auto-analyse. Vient s'y ajouter la *Psychopathologie de la vie quotidienne*, qui montre les derniers éléments de l'auto-analyse systématique et de la relation à Fliess, ainsi que l'établissement des défenses post-analyse, tout au moins par rapport au diable et à sa signification pour Freud à ce moment-là.

— Le choix de Fliess comme interlocuteur

Point n'est besoin de décrire la personnalité de Fliess ni la nature de la relation transférentielle que Freud établit avec lui, car ce sont là des sujets sur lesquels de nombreux auteurs se sont étendus.

Rappelons seulement que Fliess est un personnage fantasque et pseudo-scientifique. Pourquoi Freud l'a-t-il choisi pour lui communiquer pendant quinze années environ presque toutes ses découvertes et une bonne partie de son auto-analyse et pour étayer sur lui son « transfert » ? Nous croyons que c'est parce que Fliess présente, déformé, augmenté et presque monstrueux, ce penchant pour l'irrationnel qui appartient aussi à Freud. Mais la recherche du scientifique n'est, chez Fliess, qu'un simple masque destiné à recouvrir une mythologie biologique superstitieuse.

En plus, Fliess continue et dépasse Charcot sur le versant du magicien. Il est une sorte de kabbaliste et, avec ses périodes et ses calculs, il vient s'insérer dans la superstition de Freud qui lui prête le savoir d'un sorcier : connaître les dates de mort. Pouvait-il donner la mort, la fixer tout comme il la prédisait ? Etait-il un personnage diabolique ? Pour Freud, probablement.

Freud avait besoin d'un tel compagnon imaginaire pour sa descente en lui-même vers l'irrationnel, à la recherche de ses démons enfermés.

— *La descente aux enfers*

Nous croyons pouvoir situer le début de l'auto-analyse aux environs de la mort du « vieux père » (le 25 octobre 1896). Il est marqué, dans la correspondance à Fliess, par les lettres 51 et 54, où Freud énumère les épigraphes de ses futurs ouvrages. Anzieu considère que cette brusque efflorescence d'exergues témoigne de la mouvance dans une forêt de symboles, signe du début de l'exploration de l'inconscient dans l'analyse[1]. Nous partageons son avis.

Dans la lettre 51 du 4 décembre 1896, Freud commence cette annonce d'épigraphes : « Ma psychologie de l'hystérie sera précédée de ces fières paroles : *Introite et hic dii sunt* » [phrase d'Héraclite signalant que les dieux se trouvent partout, même dans une cuisine, mais n'oublions pas la scène, chère à Freud qui la cite maintes fois, de la « Cuisine de la sorcière », où Faust est métamorphosé et où, en guise de dieu, c'est Méphistophélès qui s'y trouve]; précédant le chapitre sur l'accumulation : *Sie treiben's toll, ich fürcht'es breche nicht jeden Wochenschluss macht Gott die Zeche* [« Ils dépassent toutes les bornes, je crains un effondrement, Dieu ne présente pas ses comptes à la fin de chaque semaine ». Anzieu signale que l'origine de cette citation est inconnue. De toute façon, il est question du châtiment catastrophique infligé par Dieu et dû, paraît-il, à une accumulation de fautes-dettes]; avant « la formation de symptômes » : *Flectere si nequeo Superos Acheronta movebo* [vers de l'*Enéide*, livre septième (286-340), faisant partie de la malédiction que Junon lance contre Enée, qu'elle déteste en raison de son appartenance à la race odieuse des Troyens : « Si je ne puis fléchir ceux d'en haut, je mettrai en branle l'Achéron »][2]. L'Achéron nous semble symboliser ici

1. D. ANZIEU, *L'auto-analyse de Freud*, Paris, PUF, 1975, p. 242.
2. VIRGILE, *L'Enéide*, Paris, Garnier-Flammarion, éd. 1965, p. 160.

l'inconscient] ; avant « la résistance » : *Mach es kurz ! Am jüngsten Tag ist's nur ein...* [« Abrégez ! Le jour du Jugement il n'y aura qu'un... ». Anzieu signale qu'il s'agit d'une citation du *Zahme Xenien* des *Xénies apprivoisés* de Gœthe. Par cette phrase, Dieu le Père interrompt Satan qui s'était lancé dans une diatribe contre Napoléon. Freud prend ici à son compte la phrase que Dieu adresse à Satan][1].

Moins d'un mois après, dans la lettre 54, du 3 janvier 1897, on trouve d'abord quelques phrases qui pourraient annoncer un voyage (« Au lieu du passage que nous cherchons, nous découvrirons peut-être des océans dont nos successeurs devront pousser plus loin l'exploration. Toutefois, si nous ne chavirons pas prématurément et si notre constitution l'endure, nous réussirons. Nous y arriverons »). Puis, Freud reprend ses projets d'exergues : « La citation qui précédera le chapitre sur la « thérapeutique » sera : *Flavit et dissipati sunt* [Inscription gravée sur une médaille anglaise frappée pour commémorer la destruction de l'*Armada* espagnole qui se proposait d'envahir l'Angleterre. Elle signifie : « Il suffit d'un souffle et ils se dissipèrent. » Un pouvoir divin semble exister en arrière-plan]; le chapitre sur la « sexualité » sera précédé de la phrase suivante : « A partir du ciel, à travers le monde, jusqu'à l'enfer » [Dernière phrase du prologue sur le Théâtre du *Faust*][2].

C'est là le programme du voyage intérieur de Freud dans l'auto-analyse. Les exergues ne se retrouveront pas dans les ouvrages programmés, mais elles font allusion au cheminement qui le conduira à la découverte de son inconscient. Pas une de ces phrases ne pourrait être détachée d'un contexte infernal. Ou bien Satan est nommé, ou bien ce sont les dieux infernaux, ou bien le jugement dernier et l'éventuel châtiment font l'objet d'une allusion.

Comme le signale Anzieu[3], Freud s'identifie à Enée, et, comme celui-ci, pour mener à bien son projet, il doit faire face à des tempêtes, des monstres, des magiciennes, descendre même aux enfers,

---

1. S. FREUD, *La naissance de la psychanalyse*, Paris, PUF, 1973, pp. 152-153; *Aus den Anfängen der Psychoanalyse*, Londres, Imago, 1975, p. 150. (Entre crochets, commentaires de L. de U.)
2. *Ibid.*, pp. 161-162; *ibid.*, p. 159. (Entre crochets, commentaires de L. de U.)
3. D. ANZIEU, *L'auto-analyse de Freud*, Paris, PUF, 1975.

et cela aussi, parmi d'autres raisons, pour retrouver son père, mort récemment comme celui d'Enée.

Au cours du voyage entrepris pour rencontrer son père, Enée, accompagné de la Sybille, après avoir croisé « mille fantômes monstrueux de bêtes sauvages », les Centaures, le monstre de Lerne, les Gorgones, les Harpyes, plusieurs âmes de trépassés « qu'un dur amour a dévorées d'une consomption cruelle »[1], et aperçu le Tartare où les dieux infernaux punissent les criminels, vit parmi eux « celui qui est entré dans la chambre de sa fille et a consommé l'hyménée interdit »[2]. Ceci évoque la théorie de la séduction par le père et représente un point d'attache pour l'identification de Freud à Enée.

Rappelons que le Tartare n'est pas l'Hadès, dont il est « aussi éloigné que celui-ci l'est du ciel »[3] et que les damnés y sont torturés par les dieux infernaux Rhadamanthe, Tisiphone, une Hydre aux cinquante gueules noires, etc.[4]. Une autre Furie, Allecto, est mandatée par Junon pour nuire à Enée[5]. Il s'agit vraiment d'un voyage infernal terrifiant, beaucoup plus encore que ceux, par exemple, d'Orphée ou de Jésus.

Ceci ne nous étonne pas. *Si, pour Freud, en ce moment, l'inconscient est comparable au diable, entreprendre son auto-analyse, aller à la recherche de son inconscient, équivaut à voyager pour faire la rencontre du diable, qui n'est point seulement, dans son esprit, celui de l' « imagination cléricale » dont il parle dans l'article nécrologique sur Charcot et dans la lettre 56 à Fliess, mais aussi un personnage à formes multiples et à qui des caractères païens viennent s'ajouter.*

Cette même lettre 54 confirme notre opinion : « Jamais une année nouvelle n'a été pour nous deux aussi riche en promesses. Quand je me sens ainsi rassuré, je suis prêt à défier tous les diables de l'enfer et toi-même ne connais pas la crainte »[6]; Fliess est donc la Sybille et, peut-être aussi, la Furie Allecto, tandis que les diables

1. VIRGILE, *L'Enéide*, Paris, Garnier-Flammarion, 1965, liv. 7, p. 140.
2. *Ibid.*, p. 144.
3. Cf. P. GRIMAL, *Dictionnaire de la mythologie grecque et romaine*, Paris, PUF, 1969, p. 437.
4. VIRGILE, *L'Enéide*, Paris, Garnier-Flammarion, 1965, liv. 6, p. 143.
5. *Ibid.*, liv. 7, p. 160.
6. S. FREUD, *La naissance de la psychanalyse*, Paris, PUF, 1973, pp. 161-163; *Aus den Anfängen der Psychoanalyse*, Londres, Imago, 1975, p. 158.

et les dieux infernaux sont ceux de l'inconscient de Freud. L'enfer est pour lui le plus profond de nous-mêmes et c'est là que se trouvent enfermés le diable et les démons, attendant l'heure de se manifester. Peut-être est-ce aussi la superstition de son double transférentiel Fliess qui pousse Freud à concevoir ainsi son auto-analyse et, à certains moments, à l'envisager comme une entreprise diabolique, quitte à l'élaborer théoriquement à d'autres occasions.

— *Aux enfers intérieurs,*
  Freud fait la rencontre du diable et de la sorcière

La lettre 56, du 17 mai 1897, nous montre que Freud, au cours de son cheminement intérieur, est déjà arrivé en enfer : « Tu te souviens de m'avoir toujours entendu dire que la théorie médiévale de la possession, soutenue par les tribunaux ecclésiastiques, était identique à notre théorie du corps étranger et de la dissociation du conscient[1]. Mais pourquoi le diable, après avoir pris possession de ses malheureuses victimes, a-t-il toujours forniqué avec elles, et cela d'horrible façon ? Pourquoi les aveux extorqués par la torture ressemblent-ils tant aux récits de mes patients au cours du traitement psychologique ? Il faudra que je me plonge bientôt dans cette littérature. D'ailleurs, les supplices que l'on pratiquait permettent de comprendre certains symptômes demeurés obscurs de l'hystérie. Les épingles qui apparaissent par les voies les plus surprenantes, les aiguilles écorchant les seins de ces pauvres créatures et que les rayons X ne décèlent pas, tout cela peut se retrouver dans l'histoire de la séduction !... »

« Et voilà que les inquisiteurs se servent à nouveau de leurs épingles pour découvrir les stigmates diaboliques et les victimes recommencent à inventer les mêmes cruelles histoires (aidées peut-être par les déguisements du séducteur). Victimes et bourreaux se souvenaient alors de la même manière de leurs plus jeunes années... »[2].

A peine l'auto-analyse engagée, Freud s'intéresse au diable, aux

1. Phrase citée ci-dessus p. 23.
2. S. FREUD, *La naissance de la psychanalyse*, Paris, PUF, 1973, pp. 165-166; *Aus den Anfängen der Psychoanalyse*, Londres, Imago, 1975, pp. 161-162.

sorcières, à la possession. Il rencontre, à la fois, le diable et ses victimes. *Le diable prend possession et fornique d'horrible façon avec ses victimes, ce qui coïncide, évidemment, avec la théorie du père séducteur, qui fornique aussi avec ses filles et les possède.* L'horrible façon semble se référer à des pratiques perverses; les filles séduites sont des victimes (forcées, innocentes). Cependant, Freud ne se pose pas en victime mais en tortionnaire, puisque les aveux de ses patientes sont semblables à ceux extorqués par la torture. (Souvenons-nous que torturer des hommes était un de ses premiers « choix » professionnels)[1]. Freud fait à nouveau ici un jeu de bascule entre tortionnaire et torturé, entre inquisiteur et sorcier, entre père et créature séduite, entre diable et possédé(e). Il fuit peut-être l'identification (féminine) à la victime séduite par le diable-père et, à cause de cela, cherche sur d'autres la marque diabolique ou son équivalent, l'aveu du traumatisme sexuel causé par la séduction paternelle.

Quelques jours après (le 24 janvier 1897), la lettre 57 nous ramène le diable, accompagné de sorcières.

« ... L'idée de l'ingérence des sorcières prend corps et je la tiens pour exacte. Les détails commencent à abonder. J'ai trouvé l'explication du « vol » des sorcières; leur grand balai est probablement le grand seigneur Pénis. [Les sorcières voyageant sur le grand seigneur suggèrent une référence paternelle et une allusion au pénis du père comme objet partiel. On constate une certaine ambiguïté du rôle sexuel joué par la sorcière, car est-elle unie au pénis du père au cours d'un coït ou bien possède-t-elle elle-même un pénis ? Il peut s'agir aussi de l'esquisse d'un fantasme de parent combiné dans le sens de Melanie Klein, c'est-à-dire père et mère mélangés l'un à l'autre en un rapport sexuel ininterrompu.] Leurs assemblées secrètes, avec danses et autres divertissements, s'observent tous les jours dans les rues où jouent les enfants. [Référence à la sexualité infantile.] J'ai lu un jour que l'or donné par le diable à ses victimes se transformait immanquablement en excrément; le jour suivant, M. E., parlant du délire d'argent de sa bonne d'enfant, me dit tout à coup (par le détour de Cagliostro — alchimiste — *Dukatenscheisser* [chieur de ducats]) que l'argent de Louise était toujours excrémentiel.

1. Cf. ci-dessus, p. 14.

34

[Cagliostro était, comme Fliess, une sorte de magicien sorcier. Le thème de la bonne d'enfant liée à l'argent et au diable commence à s'esquisser.] Donc, dans les histoires de sorcières, l'argent ne fait que se transformer en la matière dont il était sorti. Si j'arrivais seulement à savoir pourquoi, dans leurs confessions, les sorcières ne manquent jamais de déclarer que le sperme du diable est froid... [La sorcière est confirmée dans son rôle de partenaire sexuelle du diable. Freud montre son érudition en la matière, sa connaissance des traités de démonologie qui, comme celui de Bodin, décrivent l'union sexuelle avec le diable. C'est certainement le résultat de l'influence de Charcot.] J'ai commandé le *Malleus maleficarum* et vais me mettre à l'étudier avec ardeur, maintenant que la dernière ligne des « Paralysies infantiles » est écrite. Les histoires du diable, le vocabulaire des jurons populaires, les chansons et les coutumes des nurseries, tout cela acquiert une signification à mes yeux. [Encore une proto-allusion à la sexualité infantile la liant au diable.] Peux-tu, sans trop te déranger, tirer du fond de ta riche mémoire quelques titres de livres intéressants traitant de ce sujet ? [Freud cherche un guide, une Sybille, pour son cheminement.] A propos des danses dont parlent les sorcières dans leurs confessions, souviens-toi des épidémies chorégraphiques du Moyen Age. [Réminiscence de Charcot encore]... ». « Les performances gymnastiques réalisées par des garçons au cours de leurs accès hystériques, etc., ont quelque rapport avec le vol et le flottement dans les airs. [Nouveau souvenir de Charcot, envers qui Freud semble éprouver de la nostalgie; l'aurait-il mieux guidé que Fliess dans sa marche vers l'enfer ? Dans l'auto-analyse, le petit garçon ne peut être que lui, Sigismund, devenu émule de la sorcière.]

« Je suis près de croire qu'il faudrait considérer les perversions dont le négatif est l'hystérie comme les traces d'un culte sexuel primitif qui fut peut-être même, dans l'Orient sémitique, une religion (Moloch, Astarté)... [Une divinité masculine dévoratrice d'enfants, une divinité féminine érotique, couple diabolique et parental. Parmi d'autres exemples possibles, Freud choisit l'Orient sémitique, qui a des liens de parenté avec lui.]

« Les actes sexuels pervers sont d'ailleurs toujours les mêmes, ils comportent une signification et sont calqués sur un modèle qu'il est possible de retrouver. [Sans doute le modèle de la séduction infantile.] »

« Je rêve ainsi d'une religion du diable extrêmement primitive dont les rites s'exercent en secret et je comprends maintenant la thérapeutique rigoureuse qu'appliquaient les juges aux sorcières. [Si nous effectuons l'équation que Freud fait habituellement entre les primitifs et les enfants, nous déduirons qu'il parle de lui et de son diable, ce qui lui a permis de comprendre la situation psychique et des sorcières et de ses patientes] »[1].

Les perversions — négatifs de l'hystérie — comme rites d'un culte sexuel primitif, à prendre dans le sens de l'histoire des peuples et de celle de l'individu, seraient le culte du père-diable lascif et séducteur, qui persisterait de nos jours, manifestement chez les pervers et inconsciemment chez les névrosés. Chez ceux-ci, *les désirs sexuels inconciliables avec leur moi, tout comme la sorcellerie, s'organiseraient autour du père-diable séducteur, qui serait donc au centre de la névrose.* C'est certainement dans son auto-analyse que Freud a découvert cela, ou, plutôt, dans l'interaction entre ce travail sur lui-même et les analyses de ses patients.

Il y a une coïncidence entre ce discours de Freud et celui de ses hystériques. Est-il identifié à elles ? Ou bien l'aident-elles à se démarquer d'une position féminine d'enfant séduit par le père ?

On peut se demander si c'est le père de Freud qui est devenu diable ou si c'est le père en général qui est considéré par lui, à ce moment-là, comme un diable séducteur pervers ? Probablement les deux s'interpénètrent-ils : le père-diable des patientes séduites a rejoint dans la pensée de Freud le diable médiéval maître de ses victimes, puis ou en même temps, son propre père a été près d'apparaître comme séducteur diabolique (avec ses trois épouses, remarié et père de plusieurs enfants à un âge déjà tardif..., tout cela à ajouter aux fantasmes œdipiens apparus dans l'auto-analyse). *Cette lettre marque un point de rassemblement de la pensée et des fantasmes de Freud par rapport au diable à ce moment de sa descente aux enfers : diable-père-*

---

1. S. FREUD, *La naissance de la psychanalyse*, Paris, PUF, 1973, pp. 166-168; *Aus den Anfängen der Psychoanalyse*, Londres, Imago, 1975, pp. 162-163. (Entre crochets, commentaires de L. de U.)

aimé-séducteur-mauvais-pervers ; esquisse de l'apparition de la bonne d'enfants-malhonnête-liée au diable par un rapport anal (argent) ; symbolisme du vol-scène primitive ; désir de pénétrer plus loin, « toujours plus loin » comme le dit Faust, grâce à des connaissances interdites.

Après cette apparition éclatante, le diable-père s'estompe pour longtemps. Il ne reviendra, pseudo-humanisé, que dans *Totem et tabou.*

— *Influence du « Malleus maleficarum »*

Le *Malleus maleficarum*[1] apporte à Freud, à ce moment précis[2], une sorte d' « interlocuteur » diabolique, plongé dans l'irrationnel et la magie, centré sur le diable et les sorcières et parlant librement de sexualité.

Sa fantasmagorie sexuelle diabolique a, croyons-nous, stimulé Freud dans son cheminement intérieur, entre le diable et la sorcière qui lui est accouplée, et de là, peut-être, à la découverte de l'Œdipe.

Le *Malleus maleficarum* fut écrit en 1486. Ses auteurs, des dominicains, Institoris et Sprengler, à cause d'une grande réussite dans leur ministère (c'est-à-dire dans la persécution des sorcières), avaient été désignés par le pape Innocent VIII comme inquisiteurs pour la région de Mainz, Cologne, Trèves, Salzbourg et Bremen. Leur ouvrage connut un tel succès auprès de la hiérarchie catholique, et protestante plus tard aussi, qu'il devint une autorité en matière de sorcellerie, une sorte de Bible des inquisiteurs, et fut l'objet de très nombreuses éditions.

Ce livre tourne autour de deux thèmes principaux : les références à la sexualité et la haine des femmes.

Les références à la sexualité commencent par la préoccupation centrée sur les démons incubes et succubes — les incubes possédant sexuellement les femmes et les succubes s'unissant aux hommes —, puis continuent par l'intérêt porté sur les sorts jetés par les sorcières, qui sont, presque tous, de nature sexuelle, soit *stricto sensu*, soit symboliquement : empêcher les hommes de réaliser l'acte sexuel, détruire la capacité des femmes de concevoir, faire disparaître l'organe

1. H. INSTITORIS et J. SPRENGLER, *Le marteau des sorcières*, Paris, Plon, 1973.
2. Cf. ci-dessus p. 35.

sexuel de l'homme, rendre celui-ci impuissant, tuer les enfants dans le ventre de leur mère, provoquer la stérilité de la terre ou des animaux. D'autres faits rapportés, sexuels aussi, sont encore plus surprenants : les démons ne pouvant engendrer, un succube prend le sperme d'un homme et, se servant de cette semence, un incube rend enceinte une femme.

L'acte sexuel avec le diable est un élément essentiel de l'alliance établie avec lui. Toutes les sorcières le pratiquent. Elles promettent, au cours de la cérémonie d'initiation, d'appartenir au diable corps et âme, tandis que lui leur assure, à son tour, prospérité et longue vie. L'incube peut aussi se présenter ainsi : « Je suis le diable et, si vous voulez, je serai prêt à votre plaisir et ne me déroberai à aucun besoin. » Il offre ainsi une promesse de satisfaction sexuelle constante et sûre.

La haine de la femme est un élément continuellement présent et sans doute non dénué de rapports avec le précédent. C'est un sentiment voué à la femme-sorcière mauvaise, sexuellement insatisfaite, littéralement castratrice, qui se donne corps et âme au diable.

Les sorcières sont extrêmement puissantes : après leur pacte avec le diable, elles peuvent produire toute sorte de malheurs réels ou d'illusions fantastiques. En plus des dommages sexuels cités ci-dessus, elles peuvent provoquer des tempêtes, faire tomber la foudre, connaître les choses occultes ou futures, tuer par leur regard, se transporter en volant. Seules quelques-unes, encore plus puissantes, peuvent « défaire » ce qu'elles ont fait.

Il y a aussi des sorciers, mais, réputés moins nombreux, leur art n'est dirigé, en outre, que vers les armes magiques, destinées à tuer des ennemis.

C'est le diable qui donne leur pouvoir aux sorcières. Cependant, à son tour, sans un agent, donc sans une sorcière, il ne peut produire que des maux limités. La vraie puissance réside alors dans l'union du diable et de la (des) sorcière. (L'union du père et de la mère ? Le parent combiné tout-puissant et mauvais dans sa jouissance sans fin ?)

Dieu n'est pas étranger au mal qui découle de l'union du diable et des sorcières puisque sa permission est toujours nécessaire. Il permet le mal, mais ne le désire pas. Cependant, ses desseins sont obscurs, si bien qu'au fil des questions et des réponses confuses on en arrive à se demander si le diable n'est pas l'agent mauvais de Dieu ou un de ses aspects (comme le Satan de l'Ancien Testament).

En conclusion, nous croyons à une influence importante de ce *Malleus maleficarum*, « étudié avec ardeur »[1], sur la compréhension du couple séducteur-séduit, aussi bien dans l'auto-analyse que dans la pratique de Freud. Ce livre l'aida à envisager l'importance de la femme-sorcière (de son consentement à l'acte sexuel avec le diable-père ?) et *l'incita à considérer le lien entre le séducteur-diable et la sorcière, que nous traduisons par union du père séducteur et de la femme puissante, d'une manière qui évoque le parent combiné.*

— La bonne-sorcière

Arrivé à ce moment de son auto-analyse, Freud passe du père-diable à la bonne-sorcière (qui s'occupait de lui à Freiberg, sa ville natale) et à sa relation avec elle.

Cette apparition de la bonne-sorcière est précédée par quelques allusions, contenues dans les lettres 61 et 64.

La lettre 61, du 2 mai 1897, à Fliess, est accompagnée d'un manuscrit dont l'un des paragraphes, intitulé « Rôle des domestiques », se réfère au sentiment de culpabilité observé parfois chez les femmes comme conséquence de l'identification à « ces personnes de basse moralité » qui apparaissent dans le souvenir comme des êtres méprisables « dont les figures se trouvent sexuellement liées à celles du père ou du frère ». « Le fait que la vile conduite du chef de famille... »[2].

Remarquons que le père est vil, mais que les domestiques (filles) sont de basse moralité, ce qui implique leur consentement. En ce qui concerne l'histoire personnelle de Freud, il a toujours refoulé ou réprimé ou tu l'éventuelle vile conduite de son père ou de son frère envers sa bonne (ou envers n'importe qui).

Dans la lettre 64, du 31 mai 1897, Freud raconte un rêve de sentiments hypertendres pour Mathilde (sa fille), qui, dans le rêve,

---

1. S. FREUD, *La naissance de la psychanalyse*, Paris, PUF, 1973, p. 167; *Aus den Anfängen der Psychoanalyse*, Londres, Imago, 1975, p. 163.
2. *Ibid.*, p. 175; *ibid.*, p. 171.

se prénommait « Hella ». Il déclare que cela montre la réalisation de son désir de constater que le père est bien le promoteur de la névrose[1]. Ainsi, il se place, lui, en père séducteur, ce qui épargne et l'enfant (lui-même enfant) et son propre père (et la bonne et la mère). L'idée du père-séducteur est sur le point de s'effondrer momentanément au profit de la bonne-séductrice, peut-être par l'effet d'une régression au cours de l'auto-analyse ou comme résultat de défenses renforcées face à une position homosexuelle de fils séduit.

Le thème de la bonne s'installe pour de bon dans cette même lettre : « Une autre fois, j'ai rêvé que, sommairement vêtu, je montais très lestement un escalier... soudain je remarque qu'une bonne femme me suit et alors, comme il arrive si souvent dans les rêves, je reste cloué sur place, comme frappé de paralysie. Le sentiment alors éprouvé n'est pas de l'angoisse, mais une excitation érotique. Tu vois comment la sensation de paralysie propre au rêve peut servir à la réalisation d'un désir d'exhibition... »[2].

Le manuscrit N, joint à cette lettre, mentionne les désirs de mort à l'égard des parents, les fils les dirigeant vers leur père et les filles vers leur mère. « Une jeune domestique reporte ce désir sur sa patronne dont elle souhaite la mort pour pouvoir épouser le patron »[3].

Le rêve de l'escalier est repris et commenté plus amplement deux fois dans L'interprétation des rêves.

Une première fois, il est raconté un peu différemment : la bonne descend vers lui au lieu de le suivre, il est confus, le sentiment de contrainte apparaît, il est comme collé aux marches et ne peut bouger[4]. Remarquons que l'excitation érotique est supprimée, tandis que la contrainte est ajoutée. Dans l'interprétation du rêve, Freud relie monter l'escalier quatre à quatre avec l'impression de vol [le vol sur le grand seigneur Pénis ?]. La bonne est la domestique d'une vieille dame chez qui il va tous les jours pour lui faire une piqûre; elle est âgée, grincheuse, et nullement attirante, ce qui fait que la

---

1. Ibid., pp. 182-186; ibid., p. 179.
2. Ibid., p. 183; ibid., p. 179.
3. Ibid., p. 184; ibid., p. 180.
4. S. FREUD, L'interprétation des rêves, Paris, PUF, 1976, p. 209; GW, II/III, p. 244.

honte de n'être pas vêtu n'a sans doute aucun caractère sexuel, dit-il [dans un mouvement de (dé)négation probablement]. Cette femme blâme Freud parce qu'il crache dans l'escalier. Voilà la « seule raison » pour que cette domestique apparaisse dans le rêve[1].

Une deuxième fois, ce rêve n'est pas rapporté à nouveau, mais Freud signale qu'il fait partie d'une série de rêves, tous analysés, conduisant au souvenir d'une bonne d'enfants vieille et laide, qui lui disait des choses désagréables quand il était malpropre[2].

Nous croyons que ces rêves tournaient autour du rapport exhibition-paralysie-bonne d'enfants, évocateur de la sexualité infantile, y compris de la séduction de sa part (la séduction n'apparaissant donc plus comme l'apanage du père). La malpropreté surgirait face à une angoisse de castration (régressivement ou comme déplacement d'une accusation de masturbation génitale).

Si nous nous appuyons sur « La Tête de Méduse », qui montre le rapport paralysie-castration-érection, cela nous permet de nous orienter aussi vers la séduction féminine dont Freud aurait été l'objet (l'exhibition du sexe féminin de sa bonne) et nous rapproche du diable grâce à l'anecdote rapportée, qui décrit la nudité comme procédé pour l'éloigner. Freud interprète l'attitude d'angoisse face à la tête de Méduse entourée de serpents, représentation du sexe féminin terrifiant parce que châtré, comme une horreur face à la castration signifiée par son contraire, c'est-à-dire par la multiplication des serpents-pénis... Cette épouvante se traduit par une façon de demeurer figé, comme en érection, afin de se prouver que la castration n'a pas été infligée. De façon inattendue, Freud rappelle une anecdote de Rabelais : le diable s'enfuit quand une femme lui montre sa vulve. Freud étend cet effet de fuite supposée à l'exhibition des organes génitaux en général. L'explication se trouverait dans la croyance que ce qui produit horreur à soi-même provoquera le même effet sur l'ennemi et servira donc à épouvanter le diable. Mais exhiber le pénis exprime aussi qu'on n'a pas peur et qu'on défie le Mauvais Esprit[3].

1. *Ibid.*, p. 210; *ibid.*, p. 245. (Entre crochets, commentaires de L. de U.)
2. *Ibid.*, p. 216; *ibid.*, p. 253.
3. S. FREUD, Das Medusenhaupt (1922), *GW*, XVII.

Ce Mauvais Esprit intimidé nous semble être l'enfant ou le produit d'un renversement des rôles opéré par celui-ci. Remarquons que ce renversement a lieu au moment d'aborder le sexe de la femme, de la mère.

Peut-être l'enfant est-il horrifié par la castration de la mère opérée par le père-diable; (dé)nier la peur et la projeter sur celui-ci est un moyen défensif.

L'exhibition et la paralysie permettent d'articuler le passage du père séducteur à la femme séduite-séductrice-castratrice-effrayante. Il s'agit d'un progrès dans l'auto-analyse qui rapproche Freud de la découverte de la sexualité infantile et de la crainte de son châtiment, la castration, et le conduit vers la découverte des sentiments inspirés par le sexe de la femme et vers l'abord des conflits concernant la sexualité de la mère.

La lettre 70, du 3 octobre 1897, à Fliess, postérieure de quelques mois, pendant lesquels l'auto-analyse a poursuivi son cheminement, ramène la bonne. Freud déclare que son père n'a joué aucun rôle actif dans sa névrose, encore qu'il ait trouvé une analogie « entre lui et moi ». Et ensuite : « Que ma première génératrice [de névrose] *(Urheberin)* a été une femme âgée et laide, mais intelligente, qui m'a beaucoup parlé de Dieu et de l'enfer et m'a donné une haute idée de mes propres facultés »[1]. Cette vieille femme, ajoute-t-il, lui donna les moyens de vivre et de continuer à vivre, phrase énigmatique qui fait allusion au pouvoir (magique ?) de ladite femme.

Son père n'a point eu de rôle actif dans la formation de sa névrose. C'est la bonne qui prend ce rôle. A peine désignée *Urheberin*, l'enfer apparaît (la punition), mais pas le diable, que Freud aurait pu désigner comme pendant de Dieu (« parler de Dieu et de l'enfer »).

Le lendemain 4 octobre, Freud continue sa lettre et revient à sa bonne « préhistorique ». Cette nuit, il a fait un rêve. « Il s'agissait de mon professeur de sexualité. Elle m'attrapait parce que j'étais maladroit et incapable de faire quoi que ce soit... ». « J'aperçus alors le crâne d'un petit animal et pensai, dans le rêve, qu'il s'agissait de celui d'un cochon. Dans l'analyse, je me souvins qu'il y a deux

---

1. S. FREUD, *La naissance de la psychanalyse*, Paris, PUF, 1973, p. 194; *Aus den Anfängen der Psychoanalyse*, Londres, Imago, 1975, p. 189.

ans tu formulas le souhait de me voir trouver au Lido un crâne capable de m'éclairer comme il arriva à Gœthe [sans doute Faust est-il en arrière-plan]. Mais je n'en trouvai point. Donc, j'étais un petit *Schafskopf*... En outre, elle me lave dans une eau rougie dont elle s'est auparavant servi pour faire sa toilette (interprétation facile). Je ne retrouve rien de semblable dans la chaîne de mes souvenirs, c'est donc qu'il s'agit d'une véritable redécouverte; elle m'encourageait à voler des *Zehners* pour les lui donner... Ce rêve, en somme, est un rêve de « mauvais traitements » »[1]. Ensuite, Freud se déclare identifié à celle qui inflige ces mauvais traitements que lui, à son tour, ferait subir à ces malades.

Pourquoi appeler cette femme *sorcière* ? Un ensemble de raisons nous y conduisent : elle parlait de l'enfer, elle disposait de pouvoirs magiques — maintenir en vie, sans doute aussi, corrélativement, tuer —, elle était mauvaise et fut punie, à son instigation Sigismund commit le mal et lui livra son corps... A cela s'ajoutent l'exhibitionnisme, l'excitation sexuelle, l'érection, la castration, probablement la vue du sexe féminin, peut-être, très refoulée, la scène primitive (équivalent de l'acte sexuel avec le diable). Nous verrons, au long de ce travail, comment ces thèmes, qui sont ceux de la sexualité infantile, sont aussi en rapport avec le diable. La bonne vient-elle à la place du diable, comme elle vient à la place du père en tant qu'*Urheberin* ? Ou est-ce le diable freudien postérieur qui sera marqué par cette femme ? Est-elle pour quelque chose (par (dé)négation) dans l'affirmation répétée de la masculinité du diable[2] ? Revient-elle ensuite, toujours en sorcière, sous forme de métapsychologie[3] ? L'appeler bonne-sorcière est évidemment une insinuation d'ambivalence, mais nourrice ne conviendrait point puisqu'elle n'a pas rempli ce rôle. D'ailleurs, l'ambivalence appartient à Freud lui-même : la bonne l'aida à vivre, mais le séduisit et fut à l'origine de sa névrose, tout en « s'unissant » au père-diable. (Le terme utilisé le plus fréquemment par Freud est celui de vieille femme [*alte Weibe*].)

1. *Ibid.*, pp. 195-196; *ibid.*, pp. 190-191. (Entre crochets, commentaire de L. de U.)
2. Voir plus loin p. 147.
3. Voir plus loin p. 173.

Anzieu[1], Granoff[2] [3] et Schur[4] attachent de l'importance au rôle de cette femme dans l'auto-analyse de Freud. Granoff l'appelle une sorcière et rapproche le savoir attribué à Fliess de celui prêté à cette bonne, dont Fliess serait l'héritier. Pour notre part, nous ajouterions Charcot entre les deux.

Freud, comme le ferait n'importe quel patient, est assez centré sur cette bonne pour aller se renseigner auprès de sa mère. Les résultats de cette enquête sont rapportés à Fliess dans la lettre 71, du 15 octobre 1897. Sa mère se souvient de cette femme dit-il; elle était âgée, avisée et le menait dans toutes les églises. Quand Amalia accoucha d'Anna, la sœur cadette de Freud, on s'aperçut que la bonne était une voleuse et on retrouva dans ses affaires tous les sous neufs et les jouets donnés au petit Sigismund. Son frère aîné Philipp alla chercher un agent et elle fut conduite en prison...

« Depuis, j'ai fait beaucoup de chemin mais sans avoir atteint encore mon point d'arrêt véritable. La narration de ce qui reste inachevé est si difficile, m'entraînerait si loin, que tu voudras bien m'excuser et te contenter de l'exposé des parties bien vérifiées... C'est un bon exercice que d'être tout à fait sincère envers soi-même... J'ai trouvé en moi, comme partout ailleurs, des sentiments d'amour envers ma mère et de jalousie envers mon père... on comprend... l'effet saisissant d'*Œdipe-roi*... Chaque auditeur fut un jour en germe, en imagination, un Œdipe... »[5].

Qu'est-ce que Freud a censuré ? Anzieu parle de l'identification féminine de Freud à la bonne voleuse. Il évoque aussi les entrecroisements compliqués de la famille Freud, à la suite desquels, en les classant par leur âge, on pouvait former trois couples : Jacob, le père, et Nannie, la bonne, âgés d'une quarantaine d'années; Emmanuel, le fils aîné, et sa femme, âgés de vingt-cinq ou trente ans; et Philipp, le deuxième fils et Amalia, la mère, adultes jeunes

1. D. ANZIEU, *L'auto-analyse de Freud*, Paris, PUF, 1975.
2. V. GRANOFF, *Filiations*, Paris, Ed. de Minuit, 1975.
3. V. GRANOFF, *La pensée et le féminin*, Paris, Ed. de Minuit, 1976.
4. M. SCHUR, *La mort dans la vie de Freud*, Paris, Gallimard, 1975.
5. S. FREUD, *La naissance de la psychanalyse*, Paris, PUF, 1973, p. 198; *Aus den Anfängen der Psychoanalyse*, Londres, Imago, 1975, p. 193.

d'environ vingt ans. Cet agencement permet d'étudier le fantasme d'une relation entre le père et la bonne[1].

C'est là ce que Freud a censuré : le lien sexuel fantasmé entre le père et la bonne, à la place, succédant, à celui établi entre le diable et la sorcière, qui, en fait, le représentait. La bonne serait, par déplacement évidemment, un substitut de la mère.

Pourquoi nous être attardée aussi longtemps sur cette bonne ? Parce que Freud la situe au centre de son auto-analyse (*Urheberin* de sa névrose) et parce que, peu de temps après la lecture des livres de sorcellerie, elle vient se mettre à la place du père-diable séducteur.

Notre hypothèse, notre fantasme, *c'est que la bonne a noué un pacte-rapport sexuel (vrai ou fantasmé, n'importe) avec le père séducteur diabolique.* C'est de lui qu'elle tient ses pouvoirs. Elle préserve le père de l'accusation de séduction ou, au contraire, il est accusé à travers elle. Ou encore, plus vraisemblablement, au cours de l'auto-analyse, à la suite d'une régression, elle vient remplacer le père. La femme qui connaît les secrets de la sexualité est une sorcière (la connaissance interdite...) et c'est le diable qui lui a donné ce savoir. Si cette sorcière innocente le père — non séducteur pendant l'enfance de Freud —, elle devient elle-même séductrice et suit ainsi l'exemple du diable. C'est alors qu'on peut se demander quel est son sexe. Peut-être est-elle une image plutôt masculine ou, en tout cas, à caractère mixte. Mais, comme le soupçon de son lien avec le père et avec le diable existe, nous pouvons aussi songer à une image de parent combiné, dans le sens de Melanie Klein, c'est-à-dire une mère ayant incorporé, durant le coït, le pénis du père, étant unie à lui en une jouissance ininterrompue, évocatrice de fantasmes très archaïques, d'une scène primitive destructrice et d'un « corps de la mère » rempli de toutes sortes d'objets partiels. Ce parent combiné, comme le diable, se range parmi les fantasmes les plus anxiogènes.

Nous croyons que la bonne-sorcière est, pour Freud, le support d'un fantasme de ce type.

De toute façon, Freud, il l'avoue lui-même, ne dit pas le meilleur

1. D. ANZIEU, *L'auto-analyse de Freud*, Paris, PUF, 1975, pp. 320-332.

quand, dans la lettre 77, du 3 décembre 1897, il se réfère pour la dernière fois à cette partie de son auto-analyse :

Das Beste was du wissen kannst,
Darfst du den Buben doch nicht sagen[1].

[Paroles de Méphistophélès au cours de la scène du « Cabinet de travail » :

« Ce que tu sais de mieux,
Tu ne peux pourtant pas le dire à ces garçons-là. »]

— *La sexualité conduit en enfer*

Car l'enfer est son châtiment.

C'est la lettre 77, du 3 décembre 1897, qui nous l'apprend. Freud y parle de Breslau, dont il traversa la gare, à trois ans, voyageant avec sa mère de Freiberg à Leipzig. Les flammes des becs de gaz le firent penser aux âmes brûlant en enfer. Sa peur des voyages, dit-il, provient de cette impression.

Nous croyons, avec Anzieu[2], qu'il s'agit du châtiment (par l'enfer) des désirs œdipiens envers la mère, apparus au cours de ce voyage.

L'enfer était sans doute un châtiment promis ou mentionné par la bonne qui, avec son discours contradictoire, donc diabolique, était en même temps séductrice et interdictrice.

Dans *L'interprétation des rêves*, Freud évoque à nouveau l'enfer dans le rêve (dit de la « maison de santé ») où il est accusé de malhonnêteté. Un domestique [encore] demande à Freud de le suivre pour se soumettre à une enquête, parce qu'on le soupçonne de s'être approprié un objet [vol, malhonnêteté]. Cet examen a aussi un sens médical [examen du corps]. Freud est conscient de son innocence, qui est confirmée par un autre domestique [encore !]. Puis il traverse une salle qui, avec ses machines à supplicier sur l'une desquelles un de ses collègues est étendu, lui rappelle un enfer. Finalement, on lui permet de partir[3].

---

1. *Ibid.*, p. 210; *ibid.*, p. 204.
2. D. Anzieu, *L'auto-analyse de Freud*, Paris, puf, 1975, p. 341.
3. S. Freud, *L'interprétation des rêves*, Paris, puf, 1976, pp. 289-291; *GW*, II/III, pp. 341-343. (Entre crochets, commentaires de L. de U.)

Suivre le domestique, le soupçon de malhonnêteté, l'examen du corps (propreté, masturbation) conduiraient au jugement et, éventuellement, au supplice de l'enfer.

La relation sexuelle, au sens large, avec la domestique, la bonne (sans doute écran de la mère) était coupable et méritait l'enfer. La sexualité mérite l'enfer.

Le rêve de la « mère chérie » concerne ce même thème. Il est présenté par Freud comme rêve d'angoisse, pour montrer le matériel sexuel que ces productions renferment. C'était à sept ou huit ans. Il rêva de sa mère chérie, endormie, son visage arborant une expression particulièrement tranquille, qui était portée dans sa chambre par deux ou trois personnages à becs d'oiseaux, empruntés à la Bible de Philipson, probablement des dieux à tête d'épervier appartenant à un bas-relief funéraire égyptien. L'analyse lui révéla le souvenir d'un fils de concierge, appelé Philippe, qui lui apprit que le mot *Vogeln* désigne, de façon vulgaire, le rapport sexuel. Celui-ci est illustré dans le rêve par les têtes d'épervier (oiseau et pénis condensés).

Cependant, Freud ne pense pas que l'angoisse de la mort de sa mère provoqua ce rêve, mais que c'est parce qu'il était déjà angoissé, à cause du refoulement d'un désir sexuel, que la pensée préconsciente proposa le contenu visuel de la mort de la mère[1].

Nous pensons, nous, au rapport entre la mort et la sexualité, au lien entre le désir sexuel et son châtiment, à la relation entre la sexualité, la mort et les dieux infernaux — les dieux funéraires à tête d'épervier, le grand seigneur Pénis —, à la mère emportée en enfer à cause de sa sexualité. Le rapprochement entre le diable et la mort se fait ici par la punition infernale, en même temps que par la sexualité qui est du domaine du diabolique (les dieux funéraires, *Vogeln*, voler...).

Freud se déclare sans observations suffisantes pour montrer que les crises d'angoisse nocturne des enfants sont dues à l'excitation sexuelle éveillée par les rapports sexuels des parents, qui échappe à l'intelligence et est repoussée, donc non élaborée psychiquement et transformée en angoisse. Pour suppléer à ce manque de matériau

1. S. FREUD, *L'interprétation des rêves*, Paris, PUF, 1976, pp. 495-496, *GW*, II/III, pp. 589-590.

personnel, Freud se sert d'une observation déjà publiée, bien qu'interprétée différemment. C'est un récit de Debacker[1], concernant un garçon de treize ans, Albert G., qui souffrait de terreurs nocturnes et d'hallucinations, au cours desquelles il apercevait le diable, seul ou accompagné de démons qui criaient : « Nous t'avons ! ». Puis il sentait l'odeur du soufre et le feu brûlait tout son corps. Il s'écriait alors : « Non, ce n'est pas moi », « je n'ai rien fait », ou « je ne le ferai plus ». Il en arrivait même à refuser de se coucher et de se déshabiller, car le feu ne l'atteignait que quand il était nu.

Une fois guéri, il avoua que, pendant sa maladie, il souffrait, aux parties sexuelles, de picotements et de surexcitation.

Freud remarque que l'enfant avait dû se masturber et être puni pour cela et que, à la puberté, il était très tenté de recommencer cette pratique, mais refoulait sa libido, qui alors se transformait en angoisse. Celle-ci avait choisi comme contenu les châtiments dont il avait été autrefois menacé.

L'enfer est donc la punition pour la sexualité, aussi bien masturbation (Albert G.) que rapports sexuels (la mère chérie). Mais l'enfer est, en même temps, le lieu de la sexualité.

— La sexualité est-elle la métaphore du diable ?

Cette possibilité est suggérée par Freud dans la lettre 121 à Fliess du 11 octobre 1899 : « Un étrange travail se fait aux étages inférieurs. Une théorie de la sexualité va immédiatement succéder au livre sur les rêves. »... « J'ai d'ailleurs en vue des choses extraordinaires dont certaines m'étaient déjà venues à l'esprit durant la première période tempêtueuse de production »[2].

La tempête créatrice initiale est liée au thème du diable, comme le sont les étages inférieurs (l'Achéron) et la sexualité.

La lettre 138, du 10 juillet 1900, confirme cette hypothèse : « En ce qui concerne les grands problèmes, rien n'est encore décidé. Tout est flottant, vague, un enfer intellectuel, des couches super-

---

1. DEBACKER, *Les hallucinations et les terreurs nocturnes chez les enfants*, Paris, 1881, cité par FREUD, *ibid.*, pp. 498-499; *GW*, pp. 591-593.
2. S. FREUD, *La naissance de la psychanalyse*, Paris, PUF, 1975, p. 267; *Aus den Anfängen der Psychoanalyse*, Londres, Imago, 1975, p. 258.

posées, et dans le tréfonds ténébreux se distingue la silhouette de Lucifer-Amor »[1].

Point de doute, le diable, lié aux ténèbres, à la lumière, à l'amour et à la mort, réunissant en lui tous ces éléments contradictoires, est bel et bien nommé.

Il s'agit du diable d'avant la chute — d'avant le refoulement —, la plus belle créature, être de lumière dont le nom (Lucifer) ne vient pratiquement jamais sous la plume de Freud. Il est manifestement attaché à l'amour (Amor, qui n'est pas l'Eros freudien postérieur), mais aussi à la mort (mor, ténèbres...).

Remarquons le lien entre la sexualité, la mort et le diable, présent ici comme dans la pensée populaire.

— Le travail de l'inconscient est comparable à celui du diable

C'est *L'interprétation des rêves* qui nous amène cette idée.

... « L'inconscient est le psychique lui-même et son essentielle réalité. Sa nature intime nous est inconnue... » ... « Quand le rêve poursuit et achève les travaux de la veille et découvre des idées de quelque valeur, nous n'avons qu'à retirer le déguisement dû au rêve qui est le résultat du travail du rêve et la marque de l'assistance des forces obscures venues du fond de l'âme (cf. le diable dans le rêve de la sonate de Tartini). Le travail intellectuel lui-même est l'œuvre des forces psychiques qui en accomplissent un semblable pendant le jour »[2].

Strachey[3] nous rappelle que Tartini (1692-1770) avait rêvé qu'il vendait son âme au diable, qui alors s'était saisi d'un violon et avait joué une sonate d'une beauté exquise. A son réveil, Tartini l'écrivit et composa ainsi le fameux « Trille du diable ». Point n'est besoin d'ajouter de commentaire.

Quelques lignes plus loin, Freud écrit : « Les renseignements que nous ont laissés sur ce point des hommes d'une aussi grande fécondité intellectuelle que Gœthe et Helmholtz montrent bien plutôt

---

1. *Ibid.*, p. 287; *ibid.*, p. 278.
2. S. Freud, *L'interprétation des rêves*, Paris, puf, 1976, p. 520; *GW*, II/III, pp. 617-618.
3. J. Strachey, *SE*, V, note à la p. 613.

que ce qu'il y a eu d'essentiel et de nouveau dans leur œuvre leur vint par une sorte d'inspiration subite, et presque complètement achevé. »

... « Qu'un capitaine du passé ait été déterminé par un rêve à quelque expédition audacieuse dont le succès a changé le cours de l'histoire, il n'y a là de problème que pour ceux qui opposent le rêve, comme une puissance étrangère, à d'autres forces psychiques plus familières. La difficulté disparaît dès qu'on voit dans le rêve une forme d'expression d'impulsions sur lesquelles, pendant le jour, pèse une résistance, mais qui, la nuit, puisent des forces à des sources d'excitation profondes. Le respect des Anciens pour le rêve montre qu'ils pressentaient à bon droit l'importance de ce que l'âme humaine garde d'indompté et d'indestructible, le pouvoir démoniaque qui crée le désir du rêve et que nous retrouvons dans notre inconscient »[1].

Voilà le pouvoir diabolique de l'inconscient. Ce que Freud a ressenti de façon tumultueuse pendant l'auto-analyse, lié à la découverte de la sexualité infantile et du conflit œdipien, a maintenant été théorisé, expliqué et sublimé. Le symptôme est devenu métaphore, sans que nous puissions affirmer si c'est l'inconscient qui est la métaphore du diable ou si c'est le diable qui est la métaphore de l'inconscient. Il s'agit plutôt d'une relation circulaire, d'une métabole, qui inclut à la fois métaphore et métonymie, et est prête à renaître à chaque instant[2].

— *Le retour des enfers*

L'auto-analyse systématique se termine, entraînant, avec des oscillations et des retours en arrière, une remontée des enfers, ce qui signifie un rétablissement partiel du refoulement des thèmes diaboliques.

Après ce grand dévoilement que fut l'auto-analyse, cette oscillation se maintiendra toujours dorénavant chez Freud au sujet du diable.

Cela correspond aussi à son balancement entre le modèle magico-mythico-religieux et le modèle scientifique.

1. S. FREUD, *L'interprétation des rêves*, Paris, PUF, 1976, p. 521; *GW*, II/III, p. 619.
2. J. LAPLANCHE, *Problématiques*, IV : *L'inconscient et le ça*, Paris, PUF, 1981, pp. 135-138.

Signalons, dans la *Psychopathologie de la vie quotidienne* (1901), quelques-unes de ces hésitations entre refoulement et acceptation du retour du refoulé.

L'oubli de Signorelli. — Freud analysa cet exemple d'oubli d'un nom propre en 1898, après s'être efforcé en vain, au cours d'une conversation pendant un voyage, de retrouver le nom du « maître auquel la cathédrale d'Orvieto doit ses magnifiques fresques représentant le *Jugement dernier* »[1]. Il déclare que « la raison de cet oubli ne doit être cherchée ni dans une particularité quelconque de ce nom, ni dans un caractère psychologique de l'ensemble dans lequel il était inséré »[2], laissant ainsi de côté le contenu pictural pour s'orienter vers la perturbation causée par les propos précédents concernant les mœurs des Turcs. Il avait établi, dit-il, un lien entre Orvieto et une « autre chose » à refouler. Malgré lui, c'est le nom qui est oublié, alors que le but était celui de supprimer « l'autre chose »[3]. Ce qu'il voulait repousser, c'était les pensées refoulées se référant à la sexualité et à la mort (à travers les associations liées aux mœurs des Turcs — sans rapports sexuels, mieux vaut mourir —, à un de ses malades qui souffrait d'un trouble sexuel incurable et s'était suicidé, etc.).

A notre avis, le caractère psychologique de l'ensemble pictural n'est pas pour rien dans le refoulement du nom de Signorelli. Et cela d'autant plus que, de façon plus éclatante encore que dans la conversation rapportée, il se réfère à la mort et à la sexualité. En plus, il s'agissait d'une œuvre connue et appréciée de Freud (lettre 96 à Fliess, du 22 septembre 1898 : « Le *Jugement dernier* d'Orvieto le plus grandiose que j'aie jamais vu... »)[4].

Considérons un instant ce contenu « sans caractère psychologique ». Signorelli (1441-1523) peignit à Orvieto quatre grandes fresques dont l'ensemble représente le Jugement dernier : la prédiction de l'Antéchrist et la fin du monde, la résurrection de la chair, l'enfer, le paradis. On y voit notamment les damnés, généralement dévêtus, leurs

1. S. FREUD, *Psychopathologie de la vie quotidienne*, Paris, Payot, 1976, p. 6; *GW*, IV, p. 6.
2. *Ibid.*, p. 6; *GW*, p. 6.
3. *Ibid.*, p. 8; *GW*, pp. 8-9.
4. S. FREUD, *La naissance de la psychanalyse*, Paris, PUF, 1973, p. 235; *Aus den Anfängen der Psychoanalyse*, Londres, Imago, 1975, p. 227.

organes génitaux en évidence, se livrant à des activités plus ou moins perverses, tandis que des démons les supplicient sadiquement. Ces démons, rouges, verdâtres ou violacés, s'occupent aussi à des activités sexuelles variées sur les damnés et les emportent dans leurs serres au moment de leur mort[1].

Anzieu partage notre avis[2].

Nous pensons que Freud, certes, oublie le nom du peintre afin de refouler « mort et sexualité », mais aussi et surtout pour exclure le diable mauvais et pervers, lié à la mort, à la sexualité, aux pulsions perverses et aux châtiments infernaux. Il s'agit d'un refoulement de ses croyances « préhistoriques », ressurgies pendant l'auto-analyse.

L'explication psychanalytique de l'origine de la religion. — La religion est une psychologie projetée dans le monde extérieur, dit Freud. « L'obscure connaissance des facteurs et des faits psychiques de l'inconscient... se reflète (il est difficile de le dire autrement, l'analogie avec la paranoïa devant être ici appelée au secours) dans la construction d'une réalité *suprasensible*, que la science retransforme en une *psychologie de l'inconscient*. On pourrait se donner pour tâche de décomposer, en se plaçant à ce point de vue, les mythes relatifs au paradis et au péché originel, à Dieu, au mal et au bien, à l'immortalité, etc., et de traduire la *métaphysique en métapsychologie* »[3].

Remarquons que le diable n'est pas explicitement inclus dans ce projet; refoulé, il ne serait pas susceptible de figurer dans le discours de Freud.

Traduire la métaphysique en métapsychologie se retrouvera, d'une certaine façon, inversé dans la métapsychologie devenue sorcière en 1937, dans « Analyse terminée et analyse interminable ».

Une longue et ambivalente discussion de la superstition. — C'est un retour du refoulé qui s'amorce quand Freud entreprend cette discussion aux chapitres VIII, IX et XII de l'ouvrage.

L'impression générale est que Freud croit aux superstitions mentionnées, quoique peut-être, au nom de la raison et de la science, pas tout à fait consciemment. Mais, inconsciemment, il y croit cer-

---

1. Cathédrale d'Orvieto.
2. D. ANZIEU, *L'auto-analyse de Freud*, Paris, PUF, 1975, p. 472.
3. S. FREUD, *La psychopathologie de la vie quotidienne*, Paris, PUF, 1976, pp. 276-277; *GW*, IV, pp. 287-288.

tainement. C'est là encore un épisode de son tiraillement rationnel-irrationnel ou science-mythe.

« C'est ainsi que nos actes manqués (bris, sacrifices d'objets) nous fournissent un moyen de rester attachés à toutes les coutumes pieuses et superstitieuses que la lumière de notre raison, devenue incrédule, a chassées dans l'inconscient »[1]. Freud parle aussi pour lui; d'ailleurs, il ne songe nullement à le nier. C'est sûr que, quand il accomplit ces actes, il y croit. Son inconscient, diabolique, est aussi magicien.

Au chapitre 9, « Actes symptomatiques et accidentels », Freud précise que les sacrifices sont offerts « aux obscures puissances qui président à notre sort et dont le culte subsiste toujours parmi nous »[2].

Cependant, plus loin, Freud, en contradiction flagrante avec les faits rapportés ci-dessus, se définit comme non superstitieux : « Ce qui me distingue d'un homme superstitieux, c'est donc ceci : je ne crois pas qu'un événement, à la production duquel ma vie psychique n'a pas pris part, soit capable de m'apprendre des choses cachées concernant l'état à venir de la réalité; mais je crois qu'une manifestation non intentionnelle de ma propre activité psychique me révèle quelque chose de caché qui, à son tour, n'appartient qu'à ma vie psychique; je crois au hasard extérieur (réel), mais je ne crois pas au hasard intérieur (psychique). C'est le contraire du superstitieux »[3]. Certes, mais c'est un Freud qui parle, celui qui est rationnel et scientifique. Comme pour chacun d'entre nous, ce n'est pas le seul qui habite en lui. L'autre, irrationnel et superstitieux, commet les actes en question.

Cependant, Freud ne tranche pas tout à fait : faut-il refuser à la superstition toute base réelle ? N'est-elle, en général, qu'un produit de l'imagination ? « Loin de moi l'idée de formuler un jugement aussi rigoureux et absolu. »... « Tout ce que nous pouvons en dire, c'est que leur étude n'est pas achevée... »[4].

Après ces doutes, survient la (dé)négation qui deviendra ensuite

1. *Ibid.*, p. 188; *GW*, p. 194.
2. *Ibid.*, p. 222; *GW*, p. 231.
3. *Ibid.*, pp. 275-276; *GW*, pp. 286-287.
4. *Ibid.*, p. 278; *GW*, p. 289. Paragraphe ajouté en 1907.

habituelle : il est obligé d'avouer qu'il fait partie de cette catégorie
« d'hommes indignes devant lesquels les esprits suspendent leur
activité et auxquels le suprasensible échappe », de sorte qu'il n'a
jamais été capable d'éprouver quelque chose qui fît naître en lui la
croyance aux miracles[1].

Conclusion de ce chapitre

Freud « rencontre » le diable dans son auto-analyse.

Pour nous résumer, nous dirons que *le diable, soit directement,
soit à travers la sorcière, est le centre autour duquel s'ordonne la sexualité
infantile perverse — la religion primitive de la lettre 57 — (et la perversion
et son négatif, la névrose). Mais Freud a une double idée du diable : il représente les forces obscures, inconscientes, refoulées, sexuelles, mais il représente
aussi le père séducteur, introducteur du dehors de la sexualité et partenaire
de la sorcière. Une troisième idée, liée à la précédente et très refoulée, est
que le père-diable et la femme-sorcière sont très intimement unis (le parent
combiné).*

---

1. *Ibid.*, p. 279; *GW*, p. 290. Paragraphe également ajouté en 1907.

CHAPITRE VI

LE DIABLE = LES PULSIONS REFOULÉES

Les désirs refoulés sont métaphorisés en démons. Et inversement, le diable, psychanalytiquement parlant, représente les désirs refoulés.

Corrélativement, Freud, qui invoque les désirs refoulés de ses patients, *est une sorte de sorcier* (ou peut-être un exorciste ou un inquisiteur ou le tout ensemble).

Pendant la période qui suit l'auto-analyse, au moment où le groupe des premiers disciples se constitue, nous constatons que l'idée que le diable signifie les pulsions refoulées apparaît maintes fois :

A propos de *Dora*, quand Freud cherche à s'expliquer la fuite de sa patiente, il dit : « Celui qui réveille, comme je le fais, les pires démons incomplètement domptés au fond de l'âme humaine, afin de les combattre, doit se tenir prêt à n'être pas épargné dans cette lutte »[1]. Après être allé au-devant de ses démons, pendant l'auto-analyse, Freud réveille ceux des autres. Il est devenu sorcier-cxorciste.

C'est ainsi que, au début de ce même texte, se référant à la façon appropriée de traiter l'hystérie (à fond et avec sympathie), il fait siennes les paroles de Méphistophélès :

> *Nicht Kunst und Wissenschaft allein*
> *Geduld will bei dem Werke sein !*

(L'art et la science ne suffisent pas, l'œuvre réclame de la patience)[2].

---

1. S. FREUD, Fragment d'une analyse d'hystérie, in *Cinq psychanalyses*, Paris, PUF, 1975, p. 82; *GW*, V, p. 272.
2. *Ibid.*, p. 8; *GW*, p. 173.

Cependant, c'est par ces mots que Méphistophélès récuse la tâche de brasser le philtre destiné à rajeunir Faust, car, dit-il, elle revient à la sorcière.

« Le diable, sans doute, lui a enseigné cela,
Mais le diable ne peut le faire »[1].

Cette citation signifie-t-elle que Freud, en souvenir peut-être de sa vieille bonne, s'identifie maintenant à la sorcière plutôt qu'au sorcier ? On pourrait le croire.

Nous pouvons songer aussi, puisque Faust souhaite redevenir jeune pour satisfaire toutes ses passions, au lien entre rajeunissement et libération des désirs refoulés.

Le 13 février 1907, la toute jeune Société psychanalytique de Vienne se réunit pour écouter une conférence du Dr Reitler sur *L'Eveil du Printemps*, une pièce de Wedekind. Reitler fait une psychanalyse appliquée de cette œuvre, où il est question de bisexualité, d'auto-érotisme, de masochisme, etc. Freud se livre à quelques considérations concernant un homme masqué à qui on fait subir l' « inquisition ». Il dit : « Le démon de la vie est en même temps le diable (l'inconscient); c'est la vie qui subit un examen en quelque sorte »[2].

Freud déclare donc ici que le diable est l'inconscient et aussi la vie. Nous pouvons supposer que par vie il entend les pulsions sexuelles, ce qui nous intéresse par rapport aux oscillations de son interprétation du diable (qui deviendra plus tard la métaphore de la pulsion de mort).

C'est dans « Caractère et érotisme anal » (1908) que se rejoignent de la façon la plus claire la plupart des idées de Freud relatives au diable signalées jusqu'ici. Pour parler comme Freud, c'est un moment où se nouent les fils du « métier du tisserand »[3].

« En vérité, partout où a régné ou bien persiste le mode de pensée archaïque, dans les civilisations anciennes, dans le mythe, les

1. GŒTHE, *Faust*, Paris, Aubier-Montaigne, 1976, p. 77.
2. *Les premiers psychanalystes. Minutes de la Société psychanalytique de Vienne*, t. I, *1906-1908*, Paris, Gallimard, 1976, pp. 136-137.
3. GŒTHE, *Faust*, Paris, Aubier-Montaigne, 1976, p. 61.

contes, les superstitions, dans la pensée inconsciente, dans le rêve et dans la névrose, l'argent est mis en relation avec l'excrément. Il est bien connu que l'or dont le diable fait cadeau à ses amants se change en excrément après son départ; et il est certain que le diable n'est rien d'autre que la personnification de la vie pulsionnelle inconsciente refoulée. » En note ici : « cf. la possession hystérique et les épidémies démoniaques ».

Puis Freud continue : « D'autre part, on connaît la superstition qui met en rapport la découverte de trésors avec la défécation, et nul n'ignore la figure du « chieur de ducats » *(Dukatenscheisser)*; déjà, pour l'ancienne Babylone, l'or est l'excrément de l'enfer, « Mammon » = « ilu manman ». En note, citant Jeremias, il dit que Mammon vient de Man-man, surnom du dieu des enfers[1].

La personnification de la vie pulsionnelle inconsciente refoulée sous la forme du diable est donc faite des éléments suivants :

— de la relation sexuelle du diable avec ses amants, vouée, par rejet ou tromperie, à une inévitable désillusion;
— du caractère anal de cette relation : saleté, or (formation réactionnelle);
— de la curiosité sexuelle (les trésors étant, sans doute, des excréments, mais aussi tous les secrets enfouis dans la terre mère);
— d'une éventuelle relation à la mère archaïque (dieu des enfers, Man-man, donc mère et homme en même temps. Melanie Klein parlerait ici du corps de la mère, avec ses contenus, les excréments, le pénis du père...).

Ces quelques lignes sont très riches et contiennent même certaines idées, notamment la bisexualité ou l'ambiguïté sexuelle du diable, que Freud ne développera pas.

Remarquons aussi que « les amants » n'étant pas précisés comme féminins, l'aspect homosexuel du rapport d'un homme avec le diable est inclus, ce qui est un indice important pour comprendre l'auto-analyse et, dans le futur, pour envisager les cas Schreber et Haitzmann.

Signalons que, jusqu'à présent, le lien entre le diable et le sadisme

---

1. S. FREUD, Caractère et érotisme anal, in *Névrose, psychose et perversion*, Paris, PUF, 1974, p. 147; *GW*, VIII, pp. 207-208.

et l'agressivité, si privilégié dans les religions et dans l'imagination populaire, n'est pas retenu par Freud. Il a été refoulé dans l'oubli de Signorelli (les damnés torturés), il est présent mais pas souligné dans le rêve de la « maison de santé » (enfer avec machines à supplicier) et dans le souvenir des âmes brûlant à Breslau, ainsi que dans le cas d'Albert G.

Cette lacune commence d'être comblée à la séance de la Société psychanalytique de Vienne du 4 mars 1908. Freud y parle, brièvement, d'un jeune homme dont la gentillesse excessive est destinée à expier le fait qu'à cinq ans il avait conclu un pacte avec le diable ; après quoi il avait commis toutes sortes de méfaits sadiques[1]. Mais le rapprochement entre diable et destructivité ne sera exprimé par Freud que bien plus tard.

Le 27 janvier 1909, également à une séance de la Société psychanalytique de Vienne, Hugo Heller fait une conférence sur l'*Histoire du diable*, basée sur un compte rendu de l'ouvrage du même titre de Roscoff[2], afin de « susciter une discussion approfondie du sujet »[3].

Heller a voulu examiner dans quelle mesure les théories développées par Freud à partir de la psyché individuelle peuvent s'appliquer à la psychologie collective. Et en particulier si l'échec du refoulement, qui est à la base de l'hystérie individuelle, a aussi joué un rôle dans les hystéries collectives du Moyen Age et dans la croyance au diable et aux sorcières. Il applique là l'idée que le diable signifie les pulsions refoulées.

Ensuite, Heller s'excuse : il ne connaît pas suffisamment ce domaine. C'est là une phrase qui rappelle toutes celles où Freud déclare ne pas être superstitieux, n'avoir jamais observé de phénomènes occultes, etc. Mais elle étonne encore plus dans ce contexte d'équivalence entre le diable et les pulsions refoulées (qui, elles, sont censées être l'objet de l'intérêt du psychanalyste). Nous supposons

---

1. *Les premiers psychanalystes. Minutes de la Société psychanalytique de Vienne*, t. I, *1906-1908*, p. 350.

2. G. Roscoff, *Geschichte des Teufels*, 2 vol., Leipzig, F. A. Brockhaus, 1869.

3. *Les premiers psychanalystes. Minutes de la Société psychanalytique de Vienne*, t. II, Paris, Gallimard, 1978, pp. 121-127.

que ces commentaires sont inspirés par l'ambivalence concernant l'identification possible au rôle de sorcier.

Heller fait quelques considérations sur l'apparition historique du personnage du diable. D'accord avec Roscoff, il situe cette apparition dans les écrits des Pères de l'Eglise. Pendant cette période, et jusqu'au xvie siècle, dit-il, le diable est le tentateur et il est « invariablement... stupide et dupé »[1]. Il cite à l'appui August Wünsche, auteur d'un cycle de légendes sur le diable dupé. Mais l'affirmation est totalement erronée, car il existe, en effet, des légendes populaires concernant un démon parfois dupé, mais le diable (seigneur des démons) est, au Moyen Age, tout au moins à partir du xe siècle, un personnage terrifiant, comme en témoignent l'art roman d'abord, le gothique ensuite. D'ailleurs, les procès de sorcellerie, provoqués par la peur d'un diable tout-puissant, commencèrent bien avant le xvie siècle (à partir de la fin du xiiie).

Heller déclare que la croyance au diable fut renforcée par l'avènement de la Réforme, ce qui n'est pas exact non plus. Il ajoute encore que c'est à partir de là que le diable devint le Méchant, ce qui relève de l'erreur historique; car Luther a été très certainement concerné par le diable, mais celui-ci était, bien avant la Réforme et surtout à partir de la fin du xive siècle, le Malin (le Méchant étant le terme, pas très heureux, employé par la traduction française), provocateur de tous les maux et à l'affût d'âmes à emporter en enfer.

Plus loin Heller souligne l'intérêt de plusieurs éléments : les tentations du diable relèvent presque toutes du domaine de la sexualité; le diable est souvent représenté comme un animal symbolisant celle-ci, bouc ou chat mâle; son essor se produisit parallèlement à la dégradation des anciens dieux païens (personnifiant certaines pulsions sexuelles) au rang de démons; le diable, avec sa longue queue, ses cornes et son animalité, représente les pulsions sexuelles refoulées, raison pour laquelle l'ascétisme chrétien le combatit; le refoulement engendra des processus pathologiques, comme nous le montrent les procès de sorcellerie; le mélange du plaisir et de la cruauté est un trait caractéristique de la croyance au diable et aux sorcières[2].

1. *Ibid.*, p. 122.
2. *Ibid.*, pp. 122-123.

Cet exposé embrouillé débouche malgré tout sur des interprétations qui semblent exactes, toutes inspirées du point de vue de Freud à cette époque (le diable, c'est les pulsions refoulées).

Mais comment des hypothèses interprétatives recevables peuvent-elles être établies à partir de données inexactes ? Probablement parce que les erreurs concernent surtout les périodes historiques et non pas la nature des faits et parce que l'auteur lui-même n'a pas tenu compte de ses erreurs pour énoncer ses interprétations (par exemple, le diable toujours dupé n'est retenu pour aucune formulation interprétative).

Une discussion au sein de la Société psychanalytique de Vienne fait suite aux réflexions de Heller sur le diable. Adler prend la parole le premier. Il fait deux remarques intéressantes et commet plusieurs inexactitudes.

Les remarques intéressantes sont :

— Que le diable est un résumé de tout ce que la civilisation condamne dans son évolution et, ne pouvant effacer les traces du passé, en fait une figure-écran; le diable est ainsi une image qui permet aux motions pulsionnelles destinées à être refoulées d'être représentées dans la conscience et reconnues par elle[1]. Nous voyons là une sorte de représentation symbolique du refoulé qui nous semble correspondre à l'image religieuse populaire du diable — l'ange déchu, renvoyé — et, aussi, être conforme à une réalité psychique, bien que ce refoulé grâce à une action uniquement extérieure pose un grave problème.

— Que l'image du diable est liée à des traits de cruauté. Cela aussi nous paraît, évidemment, être le cas et il nous semble que ce sont les disciples de Freud qui ont insisté sur ce point, sous-estimé par lui pendant cette période, du moins apparemment.

Les inexactitudes se situent au niveau des raisons auxquelles Adler attribue les traits de cruauté du diable : la soif de pouvoir et la cruauté des jésuites d'une part, le fait que la persécution des sorcières ait toujours été dirigée contre les humbles d'autre part[2]. Le premier motif a le caractère d'un fantasme historique, le deuxième,

1. *Ibid.*, p. 124.
2. *Ibid.*, p. 124.

nous ne savons s'il faut l'attribuer à une lecture de *La sorcière* de Michelet[1] ou à quelque idée en rapport avec la théorie de l'infériorité. Après Adler, c'est Freud qui intervient. Il commence par reprendre ce qu'il a dit dans « Caractère et érotisme anal » : *le diable personnifie les pulsions inconscientes et refoulées,* « *les composantes sexuelles réprimées de l'homme, jusque dans le dernier détail (par exemple l'érotisme anal)* »[2]. *Mais, dit-il, cette explication ne lui rend pas justice.* Il veut signifier qu'elle ne suffit pas. Au-delà de l'existence ou de la non-existence du diable, Freud veut comprendre la vérité que sa signification renferme, lui donner la parole en quelque sorte.

Pour cela, Freud se tourne vers l'histoire du diable. Elle a, à son avis, deux sources. La première provient des dieux des peuples opprimés ; la deuxième trouve son origine dans les dieux des enfers, qui ont toujours eu un caractère diabolique, mais tout en étant égaux aux dieux célestes, adversaires et non créatures, à la différence du diable[3].

Le personnage du diable est complexe, comme une figure de rêve, continue Freud. Une partie vient des satyres et des anciens hommes-animaux ; une autre descend du bouc de la tragédie, le pied bot provient de la chute du ciel, comme pour Hephaistos[4]. On ne saurait surestimer l'importance de la condensation pour expliquer le diable, croyons-nous ; c'est elle qui justifie la superposition d'interprétations différentes et même contradictoires (le diable = les pulsions refoulées ; le diable = la vie ; le diable = le père ; le diable = le parent combiné ; le diable = la mort ; etc.). Si le diable n'était pas comme une image de rêve, jamais Freud n'aurait pu lui attribuer toutes ces significations.

Après ces considérations riches de sens, Freud ajoute une idée tout à fait fantaisiste : « La transformation de la personnalité du diable est liée à la poussée du refoulement lors de la Réforme (syphilis) qui sauva le christianisme italien de la désintégration au début de la Renaissance »[5]. Nous ne savons comment expliquer ou

---

1. J. MICHELET, *La sorcière*, Paris, Garnier-Flammarion, 1966.
2. *Les premiers psychanalystes. Minutes de la Société psychanalytique de Vienne*, t. II, *1908-1910*, Paris, Gallimard, 1978, p. 126. (Italiques de L. de U.)
3. *Ibid.*, p. 126.
4. *Ibid.*, p. 126. (Italiques de L. de U.)
5. *Ibid.*, p. 127.

interpréter cette phrase illogique. Bornons-nous à signaler l'alternance, dans cette conférence, de considérations psychanalytiquement valables et de purs fantasmes. Comme cela n'est point le cas pour les autres séances rapportées dans les *Minutes*, nous sommes amenée à supposer que c'est le thème qui produit ces effets et que l'angoisse liée à l'imago du diable déclenche des mécanismes de défense variés et plutôt mal réussis, qui ne peuvent éviter l'apparition de contenus bizarres, illogiques ou faux.

A la suite de cette étrange idée, Freud en propose une autre, fort intéressante : le diable est *un fantasme collectif, construit selon le modèle d'un délire paranoïaque et contenant un fantasme de justification*[1]. Il excuse le penchant au péché de l'homme et cependant est très marqué par l'auto-punition. Cette hypothèse, qui nous semble fort féconde, ne fut malheureusement jamais reprise par Freud. Elle serait pourtant d'une grande utilité pour comprendre les délires à thème diabolique.

Freud termine son intervention en disant que « *le diable est une personnalité masculine par excellence*, ce qui étaye une thèse de la théorie de la sexualité selon laquelle la libido, où qu'elle apparaisse, est toujours masculine »[2].

Signalons que c'est le diable masculin par excellence qui vient, ici, étayer la masculinité essentielle de la libido, alors que le contraire serait moins étonnant. Le diable est, décidément, bien important dans la pensée de Freud pour qu'il le fasse venir ici étayer un élément aussi fondamental que la théorie de la libido.

Cependant, la masculinité du diable n'est pas établie. S'il est vrai qu'il n'apparaît point sous une forme féminine évoluée (comme femme), sa représentation est souvent beaucoup plus monstrueuse qu'humaine, sans qu'il s'agisse d'une monstruosité particulièrement masculine, si tant est qu'une telle chose existe. Il apparaît plutôt comme un être composite (comme l'image de rêve mentionnée par Freud), avec des caractères humains et animaux, masculins et féminins mélangés. Nous avions du reste signalé dans les pages précédentes son ambiguïté sexuelle.

---

1. *Ibid.*, p. 127. (Italiques de L. de U.)
2. *Ibid.*, p. 127. (Italiques de L. de U.)

CHAPITRE VII

FREUD ET LE Dʳ FAUST

L'identification de Freud à Gœthe, à Faust et à Méphistophélès est un thème qui ferait aisément l'objet d'un autre travail. Nous nous bornerons ici, à titre indicatif, à signaler quelques aspects qui nous paraissent fondamentaux.

Considérons brièvement trois versants : l'identification à Gœthe, l'identification à Faust et l'identification à Méphistophélès.

— Identification de Freud à Gœthe

Peut-être s'agit-il plutôt de quelques ressemblances entre Freud et Gœthe, complétées par une identification de Freud à certains traits de son auteur préféré.

Commençons par une similitude relevée par Freud lui-même : « Quand on a été sans contredit l'enfant de prédilection de sa mère, on garde pour la vie ce sentiment conquérant, cette assurance du succès qui, en réalité, reste rarement sans l'amener. Et Gœthe aurait pu, avec raison, mettre en épigraphe à l'histoire de sa vie une réflexion de ce genre : ma force a eu sa source dans mes rapports à ma mère »[1]. Freud aussi avait été l'enfant préféré de sa mère.

Nous trouvons une autre similitude dans l'enthousiasme du jeune Freud envers la *Naturphilosophie*; plusieurs des idées qu'elle profes-

---

1. S. FREUD, Un souvenir d'enfance dans *Fiction et vérité* de Gœthe, in *Essais de psychanalyse appliquée*, Paris, Gallimard, 1973, p. 161; *GW*, XII, p. 26.

sait ont été soutenues par le jeune Gœthe quand il participait au courant du *Sturm und Drang*. Il s'agit d'une ressemblance entre les idées de jeunesse de l'un et de l'autre, bien que certainement la durée et l'importance de celles-ci fussent bien plus marquées chez Gœthe.

Wittels a étudié cette influence du jeune Gœthe sur le jeune Freud, en insistant particulièrement sur l'importance qu'eut le *Fragment über die Natur*, attribué à Gœthe, pour décider Freud à choisir les études de médecine[1].

Après une période d'intérêt envers la Nature divine, survint chez tous deux une période scientifique qui, pour Freud, commença au moment du séjour chez Brücke et, pour Gœthe, dans les années 1780 quand il entreprit une étude des plantes, qui aboutit en 1790 à un mémoire, devenu depuis classique, intitulé *La métamorphose des Plantes*[2]. Gœthe s'occupa aussi de morphologie animale, de la théorie des couleurs (où il s'opposa à Newton, épisode qu'Eissler a étudié d'un point de vue psychanalytique)[3] et de géologie.

Cependant, l'attitude de Gœthe et celle de Freud envers la science divergent. Le jeune Gœthe se situait aux antipodes des dévots de la science rationnelle. Il était très sensible au mystère dont s'entoure la nature et s'approchait d'elle avec le respect de quelqu'un qui s'adresse à la divinité. Pour lui, la faible raison humaine n'était pas apte à déchiffrer l'énigme sublime que la Nature lui pose[4]. C'est cette position que Gœthe exprime par l'intermédiaire de Faust. Freud, lui, n'eut jamais une attitude quasi mystique aussi radicale.

Plus tard, le point de vue de Gœthe se modifia, son pessimisme s'atténua et il cessa de se révolter contre l'imperfection du savoir humain. Mais jamais il ne se flatta d'apporter une interprétation rationnelle complète de la nature des choses[5].

Freud se situe, sans doute, beaucoup plus près de la science, tout au moins par le désir d'orienter scientifiquement sa pensée et par l'insistance à ranger la psychanalyse parmi les sciences. Mais

---

1. F. WITTELS, Gœthe und Freud, *Die psychoanalytische Bewegung*, II, Jahrgang 1930, pp. 431-466.
2. H. LICHTENBERGER, *Gœthe*, Paris, H. Didier, 1939, t. I, p. 112.
3. K. EISSLER, Gœthe and science, in *Psychoanalysis and the Social Sciences*, vol. V, New York, Int. Universities Press, 1958, pp. 51-98.
4. H. LICHTENBERGER, *Gœthe*, Paris, H. Didier, 1939, t. I, p. 162.
5. *Ibid.*, p. 163.

une attitude contraire est décelable au cours de ses oscillations entre la science et l'irrationnel[1], notamment quand son attrait pour l'occultisme apparaît, quand il se laisse envahir par la superstition et, aussi, dans cet attachement au *Faust*, qui le pousse à le citer presque continuellement.

Freud lui-même nous indique quelques aspects communs à Gœthe et à lui dans l'allocution prononcée en son nom par sa fille Anna, au moment de la remise du prix Gœthe, le 28 août 1930. Il y affirme que Gœthe n'aurait pas rejeté la psychanalyse et qu'il s'en rapproche sur de nombreux points, tels que la force accordée aux premiers liens affectifs, la croyance en une continuation de l'activité psychique pendant le sommeil, la reconnaissance de la capacité de la catharsis à délivrer de la souffrance et l'importance attribuée à Eros. Freud signale même que, dans une lettre de Gœthe, on retrouve le récit d'une sorte de psychothérapie qu'il aurait pratiquée une fois avec succès[2]. Et, pour finir, Freud énonce un trait commun à tous deux : Gœthe était un poète qui se révélait, mais il demeurait aussi secret, ce qui est le cas pour Freud aussi.

L'allocution se termine par une de ses citations favorites :

Das Beste, was du wissen kannst,
Darfst du den Buben doch nicht sagen[3].

Schröter signale comme points fondamentaux de l'identification de Freud à Gœthe, parmi d'autres qui ne nous concernent pas ici, la découverte du développement de la libido présentée à Fliess à l'aide d'une parodie du début de *Dichtung und Wahrheit*, l'enthousiasme envers Rome, la postulation de l'existence d'idées innées — dans *Totem et tabou* — comparables au concept de Gœthe relatif aux plantes originaires[4] [5].

1. Th. MANN, Die Stellung Freuds in der modernen Geistesgeschichte, in *Gesammelte Werke*, Bd X, Frankfurt-am-Main, 1960, S. 260.
2. S. FREUD, Ansprache im Frankfurter Gœthe Haus, *GW*, XIV, pp. 547-550.
3. W. GŒTHE, *Faust*, Paris, Aubier-Montaigne, 1976, p. 59.
4. K. SCHROTER, Maximen und Reflexionen des jungen Freud, in K. R. EISSLER, *Aus Freuds Sprachwelt und andere Beiträge*, Bern, Stuttgart, Wien, Hans Hüber, 1974.
5. Nous pourrions ajouter bien d'autres éléments, comme l'intérêt de Gœthe pour le diabolique et les esprits entre ciel et terre, son rapport final au mysticisme — peut-être à rapprocher du mythe biologique freudien de 1920, etc. Mais cela dépasserait les limites que nous nous sommes proposées pour ce bref chapitre.

— *Identification de Freud au Dr Faust*

Il s'agit non seulement de l'identification au personnage créé par Gœthe, mais encore du mouvement identificatoire au Dr Faust légendaire. Celui-ci remonterait à Simon le Magicien, un gnostique qui, au nom d'une liberté spirituelle absolue, prêcha la révolte contre le monde et son Dieu. Prophète et magicien, il serait mort au cours d'une tentative d'ascension[1]. Cette légende reparut à la Renaissance à la faveur, peut-être, de l'existence d'un Dr Faust à Wurtenberg, puis inspira de nombreuses œuvres, parmi lesquelles se distinguent les drames de Marlowe, Lessing et Gœthe.

Dans les différentes versions, Faust est un « magicien » et, par l'intermédiaire des esprits, il veut acquérir une puissance indue sur la nature, qui va au-delà de ce qui est permis aux hommes. Il finit par être emporté par le diable.

Nous voyons là, clairement établies, des possibilités d'identification pour Freud : aller au-delà de ce qui est permis, dévoiler des vérités cachées, c'est-à-dire découvrir l'inconscient, interpréter la religion, Dieu... Le pacte avec le diable manque apparemment chez Freud, si ce n'est comme fantasme pendant l'auto-analyse; mais peut-être existe-t-il dans le sens que le diable signifie pour lui les pulsions refoulées et que, sans doute, Freud a « pactisé » avec elles pour s'en rendre « maître » (les évoquer, les dominer...).

Freud, nous le répétons encore, balança toute sa vie entre un désir de se conformer à la science expérimentale et à la raison et un désir faustien de les dépasser, en allant vers les connaissances interdites. Songeons aux nombreuses occasions où il dit que la psychanalyse, par son usage de la parole comme instrument de guérison, est une sorte de magie, ou quand il révèle que, du temps de sa pratique de l'hypnotisme, il se plaisait à être pris pour un magicien.

Nous avons compté dans les écrits publiés — œuvres et correspondance — une soixantaine de citations de *Faust*, une majorité desquelles emprunte des paroles de Méphistophélès.

1. Cf. H. JONAS, *La religion gnostique*, Paris, Flammarion, 1978.

Ce n'est pas seulement le nombre des citations qui conduit à penser à cette identification, mais encore les scènes favorites, parce que souvent et abondamment citées, surtout la scène du « Cabinet de travail ».

Au cours de celle-ci, Faust signe son pacte avec Méphistophélès, puis lui permet de prendre ses habits de professeur pour instruire à sa place un Ecolier.

Au début de la scène, Faust reçoit la première visite de Méphistophélès. Freud en tire dix citations, qui s'étendent d' « Emmy von N. » à *Malaise dans la civilisation*, c'est-à-dire de 1895 à 1930. Rappelons simplement quelques-unes à titre d'exemple :

> « Car tout ce qui prend naissance
> Mérite d'être détruit;
> Mieux vaudrait, dès lors, que rien ne naquît,
> Ainsi donc tout ce que vous nommez péché,
> Destruction, bref le Mal,
> Est mon élément propre »[1].

(Passage cité dans *Malaise dans la civilisation*) et :

> « De l'air, de l'eau comme de la terre
> Se dégagent mille germes,
> Dans le Sec, l'Humide, le Chaud, le Froid !
> Si je ne m'étais réservé la Flamme,
> Je n'aurais rien en propre pour moi »[2].

(Passage cité dans *Malaise dans la civilisation* et insinué dans *L'interprétation des rêves*.)

Trois citations évoquent la fin de la scène, quand Faust dort et que Méphistophélès doit trouver moyen de sortir malgré le pentagramme magique qui lui barre la porte. Plus ou moins consciemment, Freud

---

1. J. W. GŒTHE, *Faust*, Paris, Aubier-Montaigne, 1976, p. 44.
2. *Ibid.*, p. 45.

doit y voir une allusion aux pulsions refoulées qui essaient de triompher du refoulement. Ainsi :

> « Mais pour rompre le charme de ce seuil
> Il me faut la dent d'un rat »[1].

(« L'homme aux rats »).

et :

> « Encore un coup de dent et voilà qui est fait »[2]

(« L'homme aux rats »).

Puis :

> « Le maître des rats et souris,
> Des puces, crapauds, punaises et poux,
> T'ordonne de sortir de ton trou... »[3]

(« Emmy von N. »).

Dans la deuxième partie de la scène du « Cabinet de travail », Méphistophélès revient. Faust prononce ses malédictions (maudite l'illusion des apparences, maudit le mensonge hypocrite des songes, maudit le mirage des biens terrestres, maudit Mammon, maudit le suc consolateur de la vigne, maudite l'espérance, maudite la foi, maudite la patience)[4] et conclut le pacte, puis Méphistophélès, empruntant les vêtements de Faust, abuse un Ecolier. Nous comptons dix-neuf citations de cette scène, dont onze du dialogue entre Méphistophélès et l'Ecolier. Granoff a fait remarquer que Méphistophélès représente Freud et que l'Ecolier est à la place de ceux qui cherchaient un enseignement auprès de lui et ne recevraient que des tromperies[5]. Nous ne pouvons rejeter cet avis. L'insistance de Freud à citer cette scène, reprenant toujours les paroles de Méphistophélès, trompeur et ennemi de la science, ne peut manquer de correspondre à une identification (partielle certes) de Freud.

---

1. *Ibid.*, p. 49.
2. *Ibid.*, p. 49.
3. *Ibid.*, p. 49.
4. *Ibid.*, p. 52.
5. V. GRANOFF, *La pensée et le féminin*, Paris, Ed. de Minuit, 1976, p. 102.

Par exemple :

> « Ce que tu sais de mieux,
> Tu ne peux pourtant pas le dire à ces garçons-là »[1]

(vers cités dans la lettre 77 à Fliess, dans *L'interprétation des rêves* et dans l'allocution prononcée à la remise du prix Gœthe à la *Gœthe Haus* de Frankfurt).

Et :

> [méprise donc] « la raison et la science,
> Forces suprêmes de l'homme »[2]

(phrase citée dans *Les nouvelles conférences* et dans *Moïse et le monothéisme*).

Et encore :

> « Vous, de même, aux mamelles de la sagesse
> Vous prendrez chaque jour plus de goût »[3]

(vers cité dans *L'interprétation des rêves*).

> « La raison devient non-sens, le bienfait calamité »[4]

(cité dans « Analyse terminée et analyse interminable »).

> « Au total, tenez-vous-en aux mots !
> Alors vous entrerez par la porte sûre
> au temple de la certitude »[5]

(cité dans *Psychanalyse et médecine*).

Une autre scène fait l'objet de plusieurs citations. C'est celle de la « Cuisine de la sorcière », où Méphistophélès préside aux opérations destinées à métamorphoser Faust. Nous avons compté six citations. Par exemple :

> « Il ne reste alors qu'à en passer par la sorcière »[6]

(cité dans « Analyse terminée et analyse interminable »).

---

1. J. W. Gœthe, *Faust*, Paris, Aubier-Montaigne, 1976, p. 59.
2. *Ibid.*, p. 59.
3. *Ibid.*, p. 60.
4. *Ibid.*, p. 63.
5. *Ibid.*, p. 63.
6. *Ibid.*, p. 77.

Et :
> « Tu es à tu et à toi avec le diable
> Et tu aurais peur de la flamme ? »[1]

(cité dans une lettre à Jung[2], puis dans une lettre à Lou Andréas-Salomé[3]).

Nous pouvons affirmer qu'en général quand le diable semble s'insinuer dans la pensée ou dans les fantasmes de Freud mais est esquivé, une citation de *Faust* apparaît à sa place. Cela tient aux « rapports » difficiles que Freud entretient avec le diable qui l'attire et le repousse à la fois. Une façon de résoudre ce conflit, c'est recourir à Faust et à Méphistophélès, figures idéalisées par Freud et éloignées de relents trop primitifs (d'un inconscient très dangereux, de pulsions fort indomptées, d'un pacte personnel avec le diable)[4].

1. *Ibid.*, p. 85.
2. FREUD-JUNG, *Correspondance*, Paris, Gallimard, 1975, p. 287.
3. L. ANDRÉAS-SALOMÉ, *Correspondance avec Sigmund Freud*, Paris, Gallimard, 1970, p. 95.
4. Nous n'avons mentionné dans ce chapitre que des citations non rapportées dans d'autres contextes.

CHAPITRE VIII

JUNG ET SON INFLUENCE

Considérons ici Jung comme interlocuteur diabolique de Freud, le situant dans cette série qui commence avec la bonne, se poursuit avec Charcot, puis avec Fliess et côtoie sans cesse Gœthe et le Dr Faust. Jung fut le dernier des grands interlocuteurs de Freud, le dernier à qui il s'attacha intensément, déjà dans un rapport de père à fils, mais encore en situation d'attente d'amour (de réponses rapides à ses lettres) et d'inquiétude au sujet des sentiments qu'il lui inspire.

Jung eut une influence considérable sur Freud par rapport à notre sujet, pas tellement sur l'interprétation du diable, mais surtout en ce qui concerne les zones avoisinantes du diabolique (les esprits, l'occultisme, l'identification au magicien, le tiraillement entre la science et l'irrationnel).

Commençons par une description sommaire de la personnalité de Jung d'après son autobiographie[1]. Il s'agit là d'un ouvrage tardif (la première édition date de 1962), et Jung était déjà très âgé (86 ans) lors de sa préparation. Cela a pu déformer certains souvenirs, mais c'est quand même un texte qui nous révèle des données importantes sur son auteur.

Ce récit autobiographique livre quelques éléments fondamentaux par rapport à notre sujet, que nous résumerons brièvement.

1. C. G. Jung, *Ma vie*, Paris, Gallimard, 1973.

Jung fut, sa vie durant, concerné par le diable, non pas comme métaphore mais comme être considéré consciemment comme existant. Ainsi, enfant, il craignait d'être dévoré par Satan[1]. A quatre ou cinq ans, il fit un rêve, pris pour une révélation, où il voyait une sorte de phallus, qu'il tint pour un dieu souterrain, contrepartie de Jésus-Christ[2] (donc le diable). Jeune homme, il se demandait pourquoi Dieu avait voulu un monde d'oppositions où chacun dévorait l'autre[3]. La lecture de *Faust* fut pour lui comme un baume miraculeux : enfin un homme prenait le diable au sérieux[4]. Rappelons à ce sujet qu'une tradition familiale faisait de Jung le descendant de Gœthe, par une liaison de son arrière-grand-mère avec celui-ci, ce qui ne fut certainement pas dénué d'importance pour Freud non plus.

Les « rapports » que Jung entretient avec le diable semblent plus simples, moins conflictuels, que ceux de Freud, car Jung n'apparaît pas luttant contre l'irrationnel en général, ni contre le diabolique en particulier, mais, au contraire, dans une attitude d'acceptation. Jung ne se montre pas non plus esquivant le diable, mais l'admettant. Cependant, c'est Freud qui, malgré ou à cause de son conflit avec le diable, réussit à l'interpréter, tandis que Jung n'élabore rien d'original à son sujet.

Jung se croyait l'objet de révélations divines. Ainsi, le rêve cité ci-dessus fut considéré comme n'étant pas forgé par lui, mais envoyé par une entité surnaturelle, Dieu ou le diable[5]. Vers sa onzième année, une pensée lui vint : Dieu, assis sur un trône, laissait tomber un excrément sur le toit d'une église, la mettant en pièces. Ce fut pour lui une illumination : Dieu devint une expérience immédiate sûre. Il n'avait pu inventer cette idée. Elle lui avait été imposée[6].

Jung croyait aux esprits. Depuis son adolescence, il faisait des lectures spirites et s'intéressait aux craquements et aux objets brisés sans intervention humaine. Sa thèse de doctorat en médecine, en 1902,

1. *Ibid.*, p. 29.
2. *Ibid.*, p. 31.
3. *Ibid.*, p. 80.
4. *Ibid.*, p. 109.
5. *Ibid.*, p. 68.
6. *Ibid.*, pp. 59 et 83.

fut consacrée aux phénomènes occultes[1]. Des épisodes de visitations d'esprits et de conversations avec des morts se répétèrent plusieurs fois au long de sa vie[2].

Penchons-nous maintenant sur la relation entre Freud et Jung. Comme nous l'avons dit, Jung est pour Freud un nouvel interlocuteur « diabolique », qui lui présente du dehors et accepté ce que Freud, lui, combat et refoule souvent.

Envisageons les raisons (autres que celles d'ordre pratique et scientifique connues de tous) pour lesquelles Freud « choisit » Jung, qui expliquent aussi l'influence de Jung sur Freud.

— Pourquoi Freud « choisit » Jung

Sans doute attiré par son côté irrationnel, afin de remplacer cet aspect qu'il avait trouvé chez Fliess. Peut-être aussi Freud cherchait-il quelqu'un d'intéressé par les esprits, comme le prouverait le rapprochement chronologique entre la rédaction de *Délire et rêves dans la « Gradiva » de Jensen* (1907) et le début de la correspondance avec Jung (11 avril 1906). Norbert Hanold, le héros de la *Gradiva*, est une sorte de figuration et de Jung et d'aspects refoulés de Freud.

Hanold-Jung-refoulé de Freud n'hésite pas à croire à l'apparition du spectre de Gradiva et ne voit aucun inconvénient à envisager la possibilité pour une jeune Pompéienne, morte au cours de la catastrophe qui ensevelit sa ville, de revenir sur terre. Son conflit se joue entre hallucination et réalité (est-ce vraiment un fantôme ?), sans qu'il mette en question à aucun moment la possibilité de l'existence des revenants.

Mais il y a aussi chez Hanold un conflit entre, d'un côté, la science, jusqu'alors sa compagne (il est archéologue), qui enseigne des choses dépourvues de vie et parle un langage mort, et, de l'autre, le cœur et les sentiments. Pour ceux-ci, il faut regarder, mais pas avec les yeux du corps et entendre, mais pas avec les oreilles phy-

---

1. C. G. JUNG, *Zur Psychologie und Pathologie sogenannter okkulter Phaenomene*, Leipzig, 1902.
2. C. G. JUNG, *Ma vie*, Paris, Gallimard, 1973, pp. 222 et 343.

siques. Nous savons que c'est là le conflit de Freud entre la science et l'irrationnel.

Quelque part dans ce texte sur la *Gradiva*, Freud commente la facilité avec laquelle notre intellect accepte des choses absurdes, quand elles satisfont des émois puissants. Dans des circonstances psychiques de ce genre, même les personnes les plus intelligentes peuvent réagir comme des débiles, et il en est encore davantage ainsi si les processus mentaux en question sont liés à des motifs inconscients refoulés[1].

La croyance aux esprits, aux fantômes et aux revenants, même chez les gens cultivés, n'a pas disparu, dit Freud. Bon nombre espèrent pouvoir combiner spiritisme et raison. Un homme rationnel et sceptique peut découvrir avec honte que, sous l'impact de l'émotion ou de la perplexité, il revient facilement à la croyance aux esprits. Et Freud raconte l'anecdote de la malade qui vint le consulter et qu'il prit pour une patiente morte, peut-être à cause d'une prescription inadéquate de sa part. Il s'était dit : « Il est donc vrai que les morts peuvent revenir. » En fait il s'agissait de la sœur de la défunte[2].

Ce texte est le seul où Freud se présente croyant, ne fût-ce que pour un instant, aux revenants. Nous pensons que c'est là une des raisons qui, de façon ambivalente, l'attachèrent à Jung.

— *Influence de Jung sur Freud*

Jung eut probablement une influence sur les idées de Freud concernant la psychose et sur son cheminement vers la théorie du narcissisme. Mais ce qui nous intéresse ici, c'est la stimulation exercée par Jung sur le penchant de Freud pour l'occultisme.

Il est certain que Freud n'alla jamais aussi loin que Jung dans ce sens-là, mais il fit quand même quelques pas. Jones décrit minutieusement les oscillations de Freud vis-à-vis de l'occultisme et montre l'attitude critique très développée et le fond inattendu de crédulité qui coexistaient chez lui[3].

1. S. Freud, *Délire et rêves dans la « Gradiva » de Jensen*, Paris, Gallimard, 1979, pp. 212-213; *GW*, VII, p. 98.
2. *Ibid.*, pp. 213-214; *GW*, p. 99.
3. E. Jones, *La vie et l'œuvre de Sigmund Freud*, Paris, puf, 2ᵉ éd., 1975, t. III, chap. XIV.

74

L'occultisme ne s'occupe pas directement du diable, mais il est une science interdite. Et Freud dira bientôt, dans *Totem et tabou*, que les esprits des morts sont des démons; il liera leur retour sur terre à l'étrangement inquiétant, à son tour, lié au diable. De ce tout de l'occultisme, Freud dégagera plus tard une partie compréhensible et rationnellement acceptable : la télépathie. Mais, au commencement, il s'interrogeait sur un ensemble bien plus vaste et effrayant.

Comparons ici deux récits : celui des épisodes spirites de Jung et Freud, et celui, rapporté par Jones, des commentaires de Freud sur l'occultisme.

Commençons par le récit des épisodes spirites de Jung et Freud. Nous disposons de deux sources : le récit qu'en fait Jung dans son autobiographie et les allusions dans la correspondance Freud-Jung.

Dans son autobiographie, Jung raconte l'épisode tel qu'il s'en souvient. Ils discutaient de parapsychologie et Freud, se réclamant d'un positivisme superficiel, n'y voyait que sottise. Tandis que Freud exposait ses arguments, il sembla à Jung que son propre diaphragme était en fer et brûlait. En même temps, un craquement retentit dans l'armoire. Jung dit à Freud que c'était un phénomène catalytique d'extériorisation. Freud répondit : « C'est là pure sottise. » Et Jung lui annonça que, pour lui prouver la vérité de son affirmation, le même craquement allait se reproduire, ce qui arriva en effet[1].

Tout cet épisode évoque une sorte de lutte de prestance entre deux sorciers. Nous soupçonnons que Freud commença à s'intéresser à l'occultisme comme à un pouvoir secret sur les esprits ou, peut-être, sur les démons.

Dans la correspondance, Jung fait allusion à cet événement dans une lettre du 2 avril 1909, continuée le 12 avril 1909 : « Il m'a semblé que ma spiristerie vous avait malgré tout énervé et peut-être gêné à cause de l'analogie avec Fliess (Folie !) »[2]. Jung fait ici lui-même ce lien avec Fliess dont nous parlions plus haut. Freud répond, le 16 avril 1909, en disant qu'il ne nie pas que l'expérience ne lui ait fait grande impression, mais qu'il a observé que la répétition de

1. C. G. Jung, *Ma vie*, Paris, Gallimard, 1973, pp. 182-183.
2. S. Freud et C. G. Jung, *Correspondance*, vol. 1 : *1906-1908*, Paris, Gallimard, 1975, pp. 293-294.

ces craquements n'était jamais en rapport avec ses pensées et « jamais quand je me préoccupais de ce problème particulier qui est le vôtre ». Sa disposition à croire a disparu avec « la magie de votre présence personnelle ici ». Il chausse donc « les lunettes d'écaille du père » et avertit « le cher fils de garder la tête froide et de préférer ne pas comprendre quelque chose plutôt que de faire de tels sacrifices à la compréhension »[1].

Freud rejette ainsi la spiristerie de Jung mais, dans la même lettre, quelques lignes plus loin, il lui parle « d'une autre chose entre ciel et terre » : de sa conviction qu'il mourrait entre soixante et un et soixante-deux ans, renforcée au cours d'un voyage en Grèce par la répétition du n° 62 dans des cabines et des chambres d'hôtel. Mais il analysa cette conviction et vit qu'elle se rattachait à son numéro de téléphone, qui renfermait son âge à ce moment-là (41 ans), et le n° 62, d'où dériva l'idée que le deuxième chiffre annonçait la dernière année de sa vie. Freud désigne cette idée comme superstitieuse, signale l'influence secrète de Fliess et affirme que la superstition prit en lui son essor l'année de l'attaque de celui-ci[2]. L'épisode du 62 fut raconté à nouveau par Freud bien plus tard dans « Un souvenir sur l'Acropole ».

Jung ne réussit pas, en 1909, à faire de Freud un adepte de l'occultisme, mais il l'influença certainement, d'autant plus que Freud n'y était pas aussi opposé que Jung le croyait.

Face aux enthousiastes (non seulement Jung, mais aussi Ferenczi), Freud apparaissait sceptique. Par contre, avec Jones, il jouait le rôle opposé. « Pendant les années qui précédèrent la Grande Guerre, j'eus avec Freud plusieurs conversations au sujet de l'occultisme... Il aimait à me raconter, particulièrement après minuit, d'étranges et inquiétantes expériences survenues à ses patients, et concernant surtout des malheurs ou des décès qui se seraient produits plusieurs années après un souhait ou une prédiction. Il avait un goût tout spécial pour ce genre d'histoires, dont l'aspect mystérieux l'impressionnait de toute évidence. Lorsque je protestais au récit de certaines histoires parmi les plus invraisemblables, Freud avait recours, pour

1. *Ibid.*, pp. 295-296.
2. *Ibid.*, pp. 296-297.

me répondre, à son adage favori : « Il y a plus de choses au ciel « et sur la terre que n'en rêve votre philosophie... ». Lorsque... je me hasardais à le reprendre pour sa tendance à accepter les croyances occultes [visitations par des esprits de morts, par exemple] sur la base de preuves bien minces... il me répondait : « Cela ne me plaît « pas non plus, mais il y a quelque vérité là-dedans. » » Alors Jones lui demandait si l'on pouvait croire aux anges aussi. Et : « A ce stade (vers 3 heures du matin !), il mettait un terme à la discussion par la remarque suivante : « C'est tout à fait cela, même *den lieben* « *Gott*. » » Il semblait content de choquer Jones, mais son regard montrait une nuance d'interrogation qui permettait de penser que ses propos n'étaient pas tout à fait dénués de sérieux[1].

1. E. Jones, *La vie et l'œuvre de Sigmund Freud*, Paris, PUF, 1975, vol. 3, pp. 431-432.

CHAPITRE IX

SCHREBER
LE DIABLE SCOTOMISÉ

Schreber (par le biais de ses *Mémoires,* récemment publiés à l'époque) apporta à Freud et à ses premiers disciples plusieurs idées, images et allusions concernant le diable, le pacte avec lui, son rapport à Dieu et l'identification qu'il pouvait susciter.

Occupons-nous d'abord des aspects des *Mémoires* du Président qui se rapportent à notre sujet, pour ensuite nous attacher à la lecture que Freud en fait.

Les références au diable relevées dans les *Mémoires* peuvent se distribuer en quatre rubriques :

— *Le pacte*

Schreber croit que l'origine de ce qui lui arrive remonte au XVIIIᵉ siècle, à une « partie qui se joua autour des noms de Flechsig et de Schreber ». Le meurtre d'âme y remplit un rôle capital[1].

Nous avons du mal à imaginer à quoi correspond pour Schreber ce meurtre d'âme arrivé plus de cent ans auparavant. Mais il essaie de nous l'expliquer : « ... la tradition orale et la poésie abondent parmi tous les peuples en variations sur ce thème selon lequel il serait possible en quelque façon de se rendre maître de l'âme de son prochain et de se procurer de la sorte, aux dépens de cette âme, une vie plus longue ou tout autre avantage ayant trait à la vie dans

---

1. D. P. SCHREBER, *Mémoires d'un névropathe,* Paris, Ed. du Seuil, 1975, p. 35.

78

l'au-delà. Je remets en mémoire le *Faust* de Gœthe, le *Manfred* de Byron, le *Freischütz* de Weber, etc. D'ordinaire, le rôle principal est accordé au diable, qui persuade un humain de faire acte signé d'une goutte de sang et de vendre son âme contre la promesse de quelque avantage terrestre, sans qu'à vrai dire on voie très clairement ce que le diable irait faire de l'âme ainsi captée, sauf à admettre que de torturer une âme, comme but en soi, ne lui procurât des jouissances toutes spéciales. »

« Assurément convient-il de rejeter au rang de fable cette fiction — avant tout pour la simple raison que le diable, on l'a déjà dit, n'existe pas en tant que puissance ennemie de Dieu. Toutefois, la diffusion très étendue de ce thème du meurtre ou du rapt d'âme donne à réfléchir... »[1]. Finalement, Schreber dit que ce thème n'eût pu s'élaborer avec une telle constance s'il n'avait existé, chaque fois, un fond de vérité. Du reste, les voix lui parlent d'un tel meurtre d'âme.

Nous comprenons donc que, pour Schreber, le meurtre d'âme est comparable ou semblable au pacte avec le diable, élément commun aux trois œuvres citées *(Faust, Manfred, Freischütz)*.

Après ce meurtre d'âme — pacte avec le diable, que Schreber appelle meurtre originaire —, « comme l'appétit vient en mangeant », d'autres meurtres se succédèrent dans les familles Flechsig et Schreber. Au XVIIIᵉ siècle aussi, vivait un certain Daniel Fürchtegott Flechsig qui, par suite d'un événement assimilable à un meurtre d'âme, était devenu un « diable auxiliaire »[2]. Nous verrons plus loin ce qu'est cette espèce. Signalons, pour l'instant, que ces meurtres sont apparentés à la dévoration.

Mais Schreber sent qu'il n'a pas tranché la question du meurtre d'âme et continue à s'interroger : « on » ne put endiguer ces « tentatives dont les suites ont pu très bien conduire au meurtre d'âme — si tant est qu'on puisse dire que quelque chose de ce genre ait existé —, autrement dit conduire à ce qu'une âme soit livrée à une autre âme dans le dessein, conçu par cette dernière, de s'arroger une vie terrestre plus longue, de s'approprier le fruit des efforts intellectuels

1. *Ibid.*, pp. 35-36.
2. *Ibid.*, p. 36.

de la victime, voire de s'assurer une sorte d'immortalité ou tous les autres avantages qu'on voudra... »[1].

Ainsi, il nous est indiqué ici que le meurtre d'âme est une sorte de vol, de vol de la vie. Mais finalement, Schreber déclare qu'il ne peut dire en quoi consiste le meurtre d'âme ni dans son essence ni dans sa technique. Il ajoutera cependant ce qui suit, dit-il. Mais malheureusement il s'agit du passage « impropre à l'impression »[2].

Cependant, plus loin, Schreber dévoile quand même un peu plus son fantasme, cette fois heureusement d'une façon non considérée comme impropre à l'impression : le complot dirigé contre lui — donc le meurtre d'âme actuel — visait, une fois qu'aurait été reconnu le caractère incurable de sa maladie nerveuse, à le livrer à un homme, de telle sorte que son âme lui soit abandonnée, cependant que son corps, changé en corps de femme, aurait été livré à cet homme — Flechsig, son médecin — en vue d'abus sexuels, pour être ensuite « laissé en plan », c'est-à-dire abandonné à la putréfaction[3].

Le meurtre d'âme — pacte avec le diable — consiste donc en un vol de vie ou d'immortalité avec dévoration éventuelle, additionné d'un attentat sexuel d'un homme contre un homme afin de le transformer en femme et d'une mort corporelle suivie de putréfaction. On peut en déduire que c'est là le fruit du pacte avec le diable. *Il s'agit de la version masculine du pacte du diable et de la sorcière, avec le plaisir transformé en souffrance (par rejet et projection) et avec les aménagements nécessaires au passage de la relation père-fille à la relation père-fils, dont la castration ou sa représentation régressive la dévoration, la qualité de père (d'ancêtre) étant indiquée par le désir de prolonger une vie au futur bref. Il s'agit d'une des formes du fantasme de séduction par le père, peut-être de son expression la plus extrême.*

— *Le diable*

Les diables [car ils sont en grand nombre] ne sont pas, comme dans les représentations chrétiennes, dit Schreber, des puissances ennemies de Dieu; au contraire, presque tous le révèrent[4]. Ce sont

1. *Ibid.*, p. 39.
2. *Ibid.*, p. 39.
3. *Ibid.*, p. 61.
4. *Ibid.*, p. 29.

des âmes qui subissent leur purification. La façon dont on se figure la damnation éternelle comme châtiment doit être rejetée, car elle ne correspond pas à la vérité : il ne s'agit pas d'un châtiment, mais d'une purification[1].

Au cours de cette purification, les âmes des morts apprennent la langue que parle Dieu lui-même, « langue de fond », sorte d'allemand archaïque, caractérisé par sa grande richesse en euphémismes, c'est-à-dire par l'usage des mots à l'inverse de leur sens, par exemple récompense pour châtiment, poison pour nourriture, impie pour saint. Selon cette règle d'expression, la purification est appelée « examen » et les âmes qui ne l'ont pas encore subie, par euphémisme, se nomment « âmes examinées ». Les âmes en cours de purification reçoivent les dénominations de leurs grades : « satans », « diables », « diables auxiliaires », « diables en chef » et « diables de fond », cette dernière expression paraissant indiquer un séjour souterrain[2].

Ces « diables », quand ils sont dépêchés sur terre sous forme d'images d'hommes « bâclées à la six-quatre-deux », ont une couleur très particulière, un peu comme du rouge carotte, et une odeur repoussante[3]. Ce sont là des allusions évidentes à l'analité.

Pour Schreber, nous l'avons dit, le diable n'est pas l'ennemi de Dieu; Schreber ne décrit pas non plus un Dieu ou des dieux spécifiquement mauvais. Mais il pose le problème des bipartitions de Dieu, à la suite desquelles on peut distinguer un Dieu inférieur (Ahriman) et un Dieu supérieur (Ormuzd)[4].

— Les lieux du diable

Schreber est plongé dans ces lieux, qui sont les endroits où il est hospitalisé : les voix appellent la maison de santé de Pierson « la cuisine du diable »[5]; elles désignent l'asile de Sonnenstein comme la « citadelle du diable »[6]. Une personne peut être aussi un lieu du diable. Ainsi, Flechsig est un enfer car, quand « on » essayait de

1. *Ibid.*, pp. 21 et 28.
2. *Ibid.*, pp. 28-29.
3. *Ibid.*, p. 29.
4. *Ibid.*, pp. 32-33.
5. *Ibid.*, pp. 30 et 92.
6. *Ibid.*, p. 107.

noircir les nerfs de Schreber en lui intromiraculant dans le corps les nerfs noircis (impurs) de personnes mortes, « on » disait que ceux qui portaient ces nerfs avaient tous été dans l' « enfer Flechsig »[1].

Schreber lui-même est un lieu où se réunissent des diables : des petits hommes qui lui infligent corporellement toutes sortes de méfaits s'appellent quelquefois « petits diables »[2] et participent notamment à un miracle sur sa tête désigné comme « machine à corseter la tête », qui consiste à se tenir des deux côtés d'une scissure crânienne provoquée par les rayons divins et à comprimer la tête de Schreber dans une sorte d'étau[3]. Cela fait partie de la série de tortures infernales auxquelles le Président est soumis.

— *Schreber est prince de l'enfer*

Ce titre apparaît comme disputé entre Schreber et Flechsig. Car, à l'époque de son séjour à la clinique de Pierson, les voix conféraient à Schreber le titre de « prince de l'enfer ». Elles lui disaient mille et mille fois : « La toute-puissance divine a décidé que le prince de l'enfer serait brûlé vif » et : « Le prince de l'enfer est responsable des pertes de rayons » et encore : « Nous crions victoire sur le prince de l'enfer dont nous avons triomphé », et puis : « Schreber est, non Flechsig est, le véritable prince de l'enfer »[4].

Schreber cherche à s'excuser de l'orgueil que la mention de ce titre pourrait indiquer et, en même temps, à prouver sa réalité. Ceux qui le connaissent, dit-il, savent que, froid et pondéré comme il est, jamais il ne se prévaudrait d'un titre aussi fantastique. Il serait difficile de déceler dans son entourage quoi que ce soit d'infernal ou de princier. Si, à tort, on lui donnait ce titre, c'était en se fondant sur une démarche de la pensée visant à l'abstraction[5].

Schreber explique cependant l'origine de son titre. Au Royaume de Dieu, le sentiment que l'ordre de l'Univers avait son talon d'Achille domina de tout temps, dans la mesure où la vertu des nerfs humains d'attirer les nerfs de Dieu contenait une menace pour le Royaume

1. *Ibid.*, p. 89.
2. *Ibid.*, p. 137.
3. *Ibid.*, p. 138.
4. *Ibid.*, p. 140.
5. *Ibid.*, p. 140.

de celui-ci. Cette menace devenait plus inquiétante aux moments de recrudescence de nervosité ou de corruption morale. Pour se représenter ce danger de façon plus frappante, les âmes procédaient à une personnification, un peu comme les peuples primitifs qui s'efforcent, avec les idoles, de rendre familière l'idée de divinité. Alors les menaces contre Dieu, dues à la décadence morale et à la recrudescence de la nervosité, étaient appréhendées comme procédant d'un « prince de l'enfer ». Ce prince de l'enfer prenait, en la personne de Schreber, les apparences de la réalité incarnée, puisque la vertu d'attraction de ses nerfs ne cessait de s'affirmer chaque jour plus irrésistiblement. On voyait en lui l'ennemi à abattre par tous les moyens au pouvoir de Dieu. On ne pouvait savoir qu'en réalité il n'attendait que sa guérison ou, du moins, un dénouement favorable du conflit. On semblait se faire plus volontiers à l'idée de devoir partager le pouvoir avec des âmes impures (« examinées », les véritables ennemies de Dieu) qu'à celle de se retrouver dans un « sentiment de dépendance vis-à-vis d'un individu singulier dont en temps ordinaire on se serait détourné avec le mépris et la morgue habituels à ceux qui occupent une position de puissance incontestée »[1].

Ce passage nous montre à quel point Schreber s'identifie, malgré ses excuses et ses réserves, au diable ennemi de Dieu. Car c'est lui qui a troublé Dieu et il est plus fort que lui. « L'ennemi à abattre par tous les moyens » est certainement le résultat d'une projection.

L'INTERPRÉTATION ADRESSÉE PAR FREUD
AU DIABLE DE SCHREBER

Voyons ce que Freud fait de ce diable schreberien. Il s'agit naturellement de « Remarques psychanalytiques sur l'autobiographie d'un cas de paranoïa *(dementia paranoïdes)* (Le Président Schreber) » (1911)[2].

Nous observons, en général, une sous-interprétation du diable

1. *Ibid.*, p. 141.
2. S. Freud, Remarques psychanalytiques sur l'autobiographie d'un cas de paranoïa *(dementia paranoïdes)* (Le Président Schreber), in *Cinq psychanalyses*, Paris, PUF, 1975; *GW*, VIII.

dans ce texte, comme si Freud ne l'investissait pas et même le scotomisait.

Cependant, quelque douze ans plus tard, quand Freud écrit l'ouvrage sur la névrose démoniaque, il semble assimiler Haitzmann, le malade étudié, à Schreber. Cela signifie qu'il avait quand même remarqué le lien entre Schreber et le diable, puisque Haitzmann souffre de « névrose démoniaque ».

Comme c'est très souvent le cas, les références au *Faust* viennent, dans cet écrit, à la place d'une explicitation du thème diabolique, montrant ainsi qu'il n'est pas absent de la pensée de Freud ou, tout au moins, de ses fantasmes.

Nous reprendrons, vues par Freud, les quatre rubriques que nous avons examinées par rapport au rôle du diable dans les *Mémoires* du Président.

— Le pacte

Au chapitre II, « Essais d'interprétation », Freud est amené à parler de l' « assassinat d'âme » comme forfait commis par Flechsig, « un acte à mettre en parallèle avec les efforts du diable ou des démons pour s'emparer d'une âme »[1]. Il commente que, par suite de l'omission dans la publication du passage impropre, on ignore ce que Schreber entend par « assassinat d'âme »[2], ce qui est vrai, mais pas aussi radicalement puisque, nous l'avons vu, dans un autre paragraphe Schreber réussit à lier cet acte à un pacte avec le diable. Quelques pages plus loin, Freud, qui a quand même dû remarquer le pacte avec le diable, revient sur la nature de l' « assassinat d'âme » et dit : « Schreber illustre l'assassinat d'âme en en appelant au contenu légendaire du *Faust* de Gœthe, du *Manfred* de Byron, du *Freischütz* de Weber »[3].

Il ajoute que « dans le drame de Byron il n'y a à peu près rien que l'on puisse mettre en parallèle avec le pacte par lequel Faust vend son âme; j'y ai aussi cherché en vain le terme d' « assassinat d'âme »[4]. Et encore, dans une note, Freud cite à l'appui un vers

1. *Ibid.*, p. 287; *GW*, p. 273.
2. *Ibid.*, p. 287; *GW*, p. 273.
3. *Ibid.*, p. 299; *GW*, p. 279.
4. *Ibid.*, p. 293; *GW*, p. 280.

de la scène finale au cours de laquelle le démon vient chercher Manfred :

> ... *my past power*
> *Was purchased by no compact with thy crew*

(... mon pouvoir passé ne fut pas acheté par un pacte avec tes pareils). Ensuite, il fait une digression sur l'inceste frère-sœur, présent dans le drame ainsi que dans la vie du poète, la faisant précéder d'une déclaration concernant l'erreur « tendancieuse » de Schreber[1].

Freud fait l'impression de vouloir se débarrasser du problème du pacte par ces commentaires sans rapport avec l'histoire de Schreber et en citant une phrase du drame de Byron séparée de son contexte. Il se soustrait ainsi à la possibilité d'envisager l'assassinat d'âme comme acte homosexuel avec le diable, bien qu'il cite la phrase de Schreber qui, à propos du meurtre d'âme, indique cette possibilité.

Venons-en à Manfred. S'il est vrai qu'il a commis l'inceste avec sa sœur, il est aussi un possédé[2]. Il conjure les esprits et s'en fait obéir, d'une façon proche de celle de Faust :

> *Ye spirits of the unbounded universe*
> *Whom I have sought in darkness and in light,*
> *I call upon you by the written charm*
> *Which gives me power upon you...*[3] [4]

Les esprits viennent. Manfred leur demande l'oubli. Ils répondent qu'ils peuvent lui donner le pouvoir sur toute la terre, mais pas l'oubli.

La différence entre la conjuration écrite et le pacte, bien qu'existante, ne nous semble pas fondamentale. Et, de toute façon, Manfred appelle les esprits à son aide, tout comme Faust.

La phrase citée par Freud appartient aux derniers instants du

---

1. *Ibid.*, p. 293; *GW*, p. 280.
2. M. PRAZ, *La chair, la mort et le diable*, Paris, Denoël, 1977, p. 122.
3. L. BYRON, Manfred, in *Poetical works*, London, Oxford University Press, 1970, p. 390.
4. « Ô esprits de l'Univers, que j'ai cherchés dans l'obscurité et dans la lumière, je vous appelle par cette conjuration écrite qui me donne du pouvoir sur vous. » (Traduction de L. de U.)

drame et est adressée à l'esprit qui vient s'emparer de Manfred au moment de sa mort :

> « SPIRIT : ... *Is this the Magician who would so pervade*
> *The world invisible, and make himself*
> *Almost our equal ?*
> « MANFRED : ... *I do not combat against death, but thee*
> *And thy surrounding angels ; my past power,*
> *Was purchased by no compact with thy crew*
> *But by superior science — penance, daring,*
> *and length of watching, strength of mind,*
> *and skill*
> *In knowledge of our fathers — when the*
> *earth*
> *Saw men and spirits walking side by side,*
> *And gave ye no supremacy : I stand*
> *Upon my strength — I do defy — deny*
> *Spurn back, and scorn ye !...* »[1].

N'hésitons pas à qualifier cette problématique de Manfred de faustienne (la science orgueilleuse, la rivalité avec les esprits, le mépris à leur égard coexistant avec leur invocation). Du reste, à la fin du poème dramatique, Manfred meurt, en présence de l'esprit qui vient l'emporter et d'un abbé qui voudrait sauver son âme, sans que l'on sache où ira celle-ci — au ciel ou en enfer (comme c'est le cas pour Faust).

D'ailleurs dans le *Freischütz* de Weber, il s'agit aussi d'un pacte avec le diable, contracté pour obtenir des armes magiques, fabriquées par un suppôt démoniaque. Les raisons de ce procédé de Freud ne sont pas évidentes. Veut-il éviter le diable, écarter le rapport

---

1. *Ibid.*, p. 406. « L'ESPRIT : ... Est-ce bien là le magicien qui voulait pénétrer le monde invisible et devenir presque notre égal ?
« MANFRED : ... Je ne combats pas contre la mort mais contre toi et tes anges; mon pouvoir passé ne fut pas acheté par un pacte avec tes pareils, mais par la science supérieure, l'effort, le courage, la veille, la force de mon esprit, mon habileté, et par les connaissances acquises par nos ancêtres au moment où la terre voyait les hommes et les esprits cheminer côte à côte et où vous n'aviez pas de supériorité. Je m'appuie sur ma force, je vous défie, vous nie, vous méprise et vous dédaigne. » (Traduction littérale de L. de U.)

homosexuel avec lui, et cela afin de ne pas désigner le père — objet premier de la libido homosexuelle de Schreber, dont une poussée est à l'origine de sa maladie[1] — comme représenté par le diable ? Ou bien est-ce l'expression d'un conflit avec le « magicien » ? Ou bien encore est-ce pour ne pas rapprocher Schreber de Faust, personnage idéalisé par Freud ?

Quelques pages plus loin, Freud, qui ne renonce quand même pas tout à fait à approcher le fantasme du mauvais père, revient sur la signification de l'assassinat d'âme. Il s'agit, dit-il, d'une formation substitutive, allusion « plus que transparente » à la menace de castration par le père, qui a fourni la matière du fantasme de désir de transformation en femme, d'abord combattu, puis accepté[2]. L'assassinat d'âme serait donc la castration par le père. (Si l'assassinat d'âme est équivalent au pacte avec le diable, ledit pacte aurait cette même signification.)

Mais Freud n'établit pas cette hypothèse et ne s'attarde pas davantage sur l'assassinat d'âme.

— *Le diable*

Freud observe le silence le plus absolu sur ce point et ne retient nullement les références aux âmes des morts traversant des stades diaboliques au cours de leur purification (bien qu'il énoncera bientôt, dans *Totem et tabou*, l'hypothèse des morts devenus démons).

— *Les lieux du diable*

Ceux-ci ne sont pas retenus par Freud.

— *Schreber, Prince de l'enfer*

Freud mentionne le fait que les âmes donnaient ce titre à Schreber. Mais il se borne à citer en note une phrase de celui-ci contenant cette appellation, sans faire aucun commentaire : « Ainsi, par *Prince de l'enfer*, les âmes entendaient sans doute cette force mystérieuse qui avait pu se développer dans un sens hostile à Dieu... »[3].

---

1. S. Freud, Remarques psychanalytiques sur l'autobiographie d'un cas de paranoïa *(dementia paranoïdes)* (Le Président Schreber), in *Cinq psychanalyses*, Paris, PUF, 1975, p. 293 ; *GW*, VIII, p. 280.
2. *Ibid.*, p. 302 ; *GW*, p. 292.
3. *Ibid.*, p. 281 ; *GW*, p. 264.

Quelques citations du *Faust* nous permettent de supposer que l'aspect diabolique des conflits de Schreber n'avait pas échappé à Freud, qui, comme nous l'avons dit, emploie ici l'un de ses procédés habituels : quand il réprime ou refoule plus ou moins le diable, le retour du refoulé s'opère par le biais de Faust ou de Méphistophélès.

C'est à propos du retrait de l'investissement libidinal de Schreber, orienté jusque-là vers les personnes et vers le monde extérieur. Grâce à ce retrait, tout lui est devenu indifférent et il doit, par une rationalisation secondaire, s'expliquer l'univers comme étant « bâclé à la six-quatre-deux ». La fin du monde est la projection de cette catastrophe interne, car l'univers subjectif du malade a pris fin depuis qu'il lui a retiré son amour.

Faust ressent un état pas tout à fait étranger à celui de Schreber. Après qu'il eut proféré les malédictions par lesquelles il renonçait au monde, le chœur des esprits se mit à chanter :

> *Tu l'as détruit,*
> *Le bel univers,*
> *D'un poing puissant ;*
> *Il s'écroule, il tombe en poussière !*
> *Un demi-dieu l'a fracassé !*
>
> . . . .
>
> *Plus splendide,*
> *Rebâtis-le,*
> *Des fils de la terre*
> *Le plus puissant,*
> *Rebâtis-le dans ton sein[1] !*

Cependant, Freud se refuse à comparer Faust à Schreber (non sans raison, mais aussi à cause de son identification à Faust et de son refus d'envisager le lien homosexuel avec le diable). Le paranoïaque Schreber tente de reconstruire le monde par son travail délirant, dit Freud; mais, quand « Faust renonce au monde avec les malédictions que l'on sait, il ne s'ensuit chez lui qu'un état d'âme particulier »[2].

---

1. *Ibid.*, pp. 314-315; *GW*, p. 307.
2. S. FREUD, *Cinq psychanalyses*, Paris, PUF, 1975, p. 316; *GW*, VIII, p. 309.

CHAPITRE X

APRÈS JUNG ET SCHREBER
ÉPIDÉMIE DIABOLIQUE
CHEZ LES PREMIERS PSYCHANALYSTES

L'influence de Jung (de sa mythologie et de sa « spiristerie »), celle de Schreber et, naturellement, l'intérêt que Freud avait porté à tous deux suscitèrent chez les premiers psychanalystes une « épidémie » d'écrits plus ou moins centrés sur le diable. On peut aussi songer à un retour en force du diable scotomisé dans l'étude sur Schreber.

O. Pfister publia deux articles, en 1911-1913, sur la glossolalie et la kryptographie automatique. Dans le premier, il s'agit d'un jeune homme atteint de glossolalie qui avait eu une vision où, sous les traits d'un camarade qui l'avait accusé faussement d'avoir séduit une fille, apparaissait le diable, avec un nez pareil à celui de la belle en question, et nu.

Pfister pense que l'hallucination exprimait le désir de voir cet ennemi transformé en diable. Le nez de la jeune fille était le signe de la calomnie. En même temps, la présence du diable indiquait une stase sexuelle profonde, tandis que l'angoisse résultante se rattachait à la pensée d'être persécuté par lui. Le nez signalait aussi le caractère sexuel masculin du diable[1].

Dans le deuxième article, Pfister analyse une nouvelle hallucination de ce jeune homme, où le diable surgissait près d'un arbre,

---

1. O. PFISTER, Die psychologische Enträtselung der religiösen Glossolalie und der automatischen Kryptographie, *Jb. psychoan. psychopath. Forsch*, 1911-1912, III, pp. 730-794.

le regardait fixement et ressemblait à une amie de sa fiancée, une femme que le patient tenait pour homosexuelle. Pfister ne propose pas d'interprétation de cette hallucination[1].

Remarquons le rapport entre diable et angoisse signalé par Pfister, ainsi que le mélange de sexes présent dans la figure du diable (surtout dans la deuxième hallucination) que Freud, tout au moins dans le contenu manifeste de sa pensée, considère généralement peu.

Au sujet du premier de ces deux articles, il existe une lettre de Freud, du 18 juin 1911, où il critique l'interprétation de Pfister. Le diable, dit-il, est là une figure mixte, il est la jeune fille et, aussi, l'humiliation représentée par la nudité. Il vaudrait mieux, conseille-t-il au pasteur, s'exprimer avec plus de prudence[2].

La prudence en question est ici surtout celle de Freud à l'égard du diable, notamment le refus de prendre en considération le côté homosexuel de celui-ci, ainsi qu'un certain rejet de l'occasion d'expliquer l'angoisse inspirée par lui.

Rank écrivit, en 1912, un livre intitulé *Das Inzest Motiv in Dichtung und Sage (Le thème de l'inceste dans la poésie et les légendes)*[3].

Dans un passage, il commente que certains mécanismes de projection qui fonctionnent chez les poètes sont refoulés chez les autres personnes. Un exemple classique de ces mécanismes et de leur rejet est l'image du diable, qui apparaît dans de nombreuses œuvres artistiques, comme incarnation de tout le mal, de toutes les pulsions interdites et de leur percée chez l'homme.

Rank se réfère au diable comme figure du mal, signification tout à fait évidente dans les religions, mais jusqu'ici peu ou pas relevée par Freud et ses disciples.

En 1912, Jones écrivit un ouvrage sur les cauchemars et leur lien avec certaines superstitions médiévales[4].

---

1. O. Pfister, Kryptolalie, Kryptographie und unbewusstes Vexierbild bei Normalen, *Jb. psychoan. psychopath. Forsch*, 1913, V, pp. 117-156.
2. S. Freud, *Correspondance avec le Pasteur Pfister*, Paris, Gallimard, 1966, pp. 90-91.
3. O. Rank, *Das Inzest Motiv in Dichtung und Sage*, Leipzig et Vienne, Deuticke, 1912.
4. Jones, Der Alptraum in seiner Beziehung zu gewissen Formen des mittelalterlichen Aberglaubens (trad. H. Sachs), Leipzig et Vienne, 1912, *Schriften zur Angewandten Seelenkunde*, XIV (7), 1-49.

Il y étudie le rôle que jouent les cauchemars par rapport à quelques idées concernant les diables, les sorcières, les vampires et les loups-garous. Jones pense à une relation entre ces croyances et certains rêves, notamment ceux de rapports sexuels avec le diable, qui proviennent de la projection d'un désir; l'objet devient effrayant parce que le désir envers lui est interdit.

Le diable, dit Jones, représente ce qui est mauvais chez l'homme. La croyance à lui appartient à la série des thèmes reliés à l'angoisse. Remarquons, comme pour Pfister, que Freud avait jusqu'ici peu parlé de l'angoisse face au diable et, comme pour Rank, qu'il avait aussi, jusqu'à ce moment, peu parlé du lien entre le diable et le mal. Ce sont donc les disciples qui semblent avoir apporté à leur maître ces idées.

Le diable, pour Jones, qui suit là l'avis des historiens des religions, est le résultat d'un processus de décomposition, par lequel les attributs d'une personnalité primitivement unique acquièrent une existence indépendante et constituent des entités différentes. A l'origine, les êtres divins étaient bons et mauvais à la fois (par exemple, dit-il, le Yahwé primitif).

Le diable, pense Jones, personnifie les aspects « mauvais » du fils et du père. Il s'agit donc d'un double clivage. Ainsi :

— Le diable représente le père en tant qu'objet d'admiration. Ce dont il est question, c'est de l'admiration du fils et de l'amour libidinal de la fille. (Nous pouvons nous demander pourquoi les possibilités contraires ne sont pas considérées.) Le fils, dit Jones, envie la puissance sexuelle paternelle. Le motif du pacte satanique est exclusivement sexuel : son but est celui d'obtenir la puissance sexuelle que le père peut donner. Le diable est également en liaison intime avec la nature, qui est une personnification de la mère; il peut pénétrer dans l'obscurité, posséder des trésors, habiter des cavernes, toutes choses inaccessibles aux enfants par rapport à la mère, et à la portée du père.

— Le diable représente le père en tant qu'objet d'hostilité. Sous cet aspect, il ne se montre pas comme séducteur ou tentateur, mais comme persécuteur et ennemi du genre humain. Si les hommes réussissent à le vaincre, c'est toujours par fraude ou tromperie, les armes du fils.

— Le diable représente aussi le fils qui imite son père. C'est ainsi que parfois il s'identifie à Dieu. Ou bien il est son agent pour châtier, ou bien il le caricature (messes à l'envers, sabbats, etc.). C'est à cause de sa condition de fils qu'il n'a pas de sperme et doit prendre celui d'un homme pour engendrer.

— Le diable représente, enfin, le fils qui défie le père. C'est là son aspect principal, croit Jones, celui du rebelle. Il s'agit d'une rivalité faite d'hostilité et d'envie, mais aussi d'admiration et d'émulation.

Jones termine son livre en établissant que le diable est le résultat de la projection des désirs refoulés s'adressant au père et que donc le coït avec lui symbolise, chez la fille, l'inceste avec celui-ci. Remarquons à nouveau que l'acte homosexuel est réprimé ou refoulé.

La sorcière, dit encore Jones, représente la contrepartie féminine de l'image du diable. Elle symbolise la mère haïe et crainte, ennemie des désirs les plus intimes de la fille et sur qui celle-ci projette la menace du châtiment. La peur du maléfice signifie la crainte de l'échec sexuel.

On peut observer dans ce travail, nous semble-t-il, quelques mérites et certains manques.

Les mérites consistent surtout en une étude bibliographique assez complète, qui tient compte de nombreux ouvrages d'histoire et d'histoire des religions, ce qui n'est pas toujours le cas dans les études de psychanalyse appliquée (nous l'avons constaté pour Heller). Un autre aspect positif de cet ouvrage est celui d' « oser » aborder ouvertement le thème du diable, son lien avec le père et, surtout, *la nature sexuelle du pacte diabolique*. Il semble que ce soit Jones qui ait, le premier parmi les psychanalystes, explicité ceci.

Les manques doivent être signalés du côté d'une certaine façon d'estomper l'aspect homosexuel (ou œdipien négatif) de la relation au diable-père et, par conséquent, d'éviter la féminisation du fils. Cette difficulté se situe dans le sillage de celle que Freud rencontre.

Freud lui-même participe à cette « épidémie » diabolique et établit, dans son article de 1915 concernant l'amour de transfert, un lien entre diable et désirs incestueux, bien qu'il ne s'agisse là que d'une référence latérale.

Il y dit qu'inviter la patiente, son transfert amoureux une fois avoué, à étouffer sa pulsion, à renoncer et à sublimer, ce serait comme si, dans notre effroi, « après avoir, à l'aide de certaines habiles conjurations, contraint un esprit à sortir des enfers, nous l'y laissions ensuite redescendre sans l'avoir interrogé »[1]. Nous constatons le lien forgé entre l'esprit sorti des enfers et l'amour incestueux envers l'analyste-père. Et nous nous demandons quel est le danger : sans doute celui de succomber au désir transférentiel-contre-transférentiel incestueux; et aussi celui de s'adonner à l'orgueil faustien de maîtriser les mauvais esprits.

En 1913, Ferenczi présenta une communication au IVe Congrès de l'API, à Munich, intitulée « Foi, incrédulité et conviction sous l'angle de la psychologie médicale »[2].

Elle concernait les patients qui refusent, *a priori*, que l'analyste puisse avoir raison. Une des causes de cette attitude se trouve dans la déception infantile concernant la disposition des adultes à dire la vérité. La conséquence en est une attitude de méfiance. Pour ces patients, la croyance en Dieu est remplacée par une sorte de croyance au diable, de foi en une toute-puissance au service des intentions malveillantes. C'est le cas, par exemple, des manies de persécution. Le persécuteur représente l'image idéale du père, mais conçue sur un mode négatif.

Il n'y a guère d'analyse où le patient ne soit amené, pour un temps plus ou moins long, à identifier l'analyste, représentant du père, au diable. C'est là le résultat d'une fixation à la phase magique ou projective du développement.

Cette communication renferme une idée intéressante, qui semble valable sur le plan de la pratique. Mais pourquoi l'analyste ne serait-il que le représentant du père? La difficulté à assumer l'identification féminine semble commune à tout le groupe des premiers psychanalystes.

Par contre, Ferenczi ne craint pas l'identification au diable dans le contre-transfert.

1. S. FREUD, Observations sur l'amour de transfert, in *La technique psychanalytique*, Paris, PUF, 1975, p. 121; *GW*, X, p. 312.
2. S. FERENCZI, Foi, incrédulité et conviction sous l'angle de la psychologie médicale, in *Œuvres complètes*, t. 2 : *1913-1919*, Paris, Payot, 1970.

CHAPITRE XI

« TOTEM ET TABOU »
LE DÉMON EST LE PARENT HAÏ
MAIS LE PÈRE-DIABLE EST RÉPRIMÉ

Cet ouvrage de 1912 marque une étape par rapport au père-diable, où, après sa scotomisation en 1911, à propos de Schreber, il est esquissé de plus en plus, bien que jamais explicitement désigné. Et cela malgré « l'épidémie » diabolique dont nous avons parlé au chapitre précédent.

Freud y réaffirme le caractère démoniaque de l'inconscient et ajoute que les esprits des morts deviennent des démons, ce qui les lie, d'un côté à la vengeance et au pouvoir, de l'autre au deuil ambivalent et au futur surmoi.

Rappelons brièvement ce que sont pour Freud le totem et le tabou (nous savons qu'il emprunte ces idées aux auteurs cités par lui : Frazer, Lang, McLemman). Le totem, rapporte-t-il, est un animal comestible, inoffensif ou dangereux, ancêtre et esprit protecteur du groupe, qui connaît et épargne ses descendants et ne doit être ni tué ni détruit[1]. Le tabou se situe en étroit rapport avec le totem : il a deux significations opposées, sacré d'un côté, inquiétant, dangereux, interdit et impur de l'autre. Il se manifeste surtout par des interdictions et des restrictions. Son sens pourrait être rendu par notre expression « terreur sacrée »[2].

Les restrictions tabou, continue Freud, ne sont pas liées à un

---

1. S. Freud, *Totem et tabou*, Paris, Payot, 1976, pp. 10-11; *GW*, IX, p. 7.
2. *Ibid.*, p. 29; *GW*, p. 26.

commandement divin mais s'imposent d'elles-mêmes. Elles ne se fondent sur aucune raison, sont incompréhensibles et leur origine est inconnue[1]. Tous ces caractères rappellent, d'une part, le corps étranger des premières étapes de la pensée analytique de Freud, et, d'autre part, la compulsion de répétition décrite quelques années plus tard.

Freud poursuit en signalant que le tabou est plus ancien que les dieux[2]. Il cite Thomas, auteur de l'article sur ce sujet dans l'*Encyclopedia Britannica*, qui dit que le châtiment dû pour la violation d'un tabou se déclenchait automatiquement (par nécessité interne) — réminiscence encore de la contre-volonté et anticipation de la répétition. Plus tard, la punition vint des dieux et des démons, mais toujours sous forme automatique[3].

Freud fait ensuite remarquer que ce tabou des primitifs ne nous est pas tellement étranger, car les prohibitions dictées par la coutume et la morale, auxquelles nous obéissons, s'en rapprochent dans leurs traits essentiels. Le tabou expliquerait ainsi l'origine obscure de notre « impératif catégorique »[4]. Il s'agit là des débuts d'une réflexion sur ce qui deviendra plus tard le surmoi. Mais remarquons que si le tabou est lié à une force démoniaque et si le surmoi trouve son origine première dans le tabou, la conséquence en est que le démoniaque parle par la voix du surmoi.

Cependant, avant d'en arriver au surmoi, Freud propose d'autres exemples de prohibitions auto-imposées, notamment celui des obsessionnels, qu'on pourrait considérer atteints de la « maladie du tabou ». Ces patients sont obligés d'obéir à des prohibitions, quitte à devenir la proie d'une énorme angoisse, manifestée sous forme de crainte d'un préjudice grave qui menacerait quelque proche. Ce dernier élément montre sans conteste que la haine est à l'origine de ces phénomènes[5]. Dans la pensée de Freud, les obsessionnels ont peut-être remplacé les hystériques en tant que possédés mais, dans leur cas, cet état provient de désirs destructifs imposés automatiquement, en dépit de la volonté consciente.

1. *Ibid.*, pp. 29-30; *GW*, pp. 26-27.
2. *Ibid.*, p. 30; *GW*, p. 28.
3. *Ibid.*, p. 31; *GW*, p. 28.
4. *Ibid.*, pp. 33-34; *GW*, p. 32.
5. *Ibid.*, pp. 37-38; *GW*, p. 33.

Pour expliquer d'où vient le tabou, Freud cite Wundt. D'après cet auteur, son origine se trouve dans la crainte de l'action des forces démoniaques. Primitivement, il n'est que la crainte objectivée de la puissance démoniaque supposée cachée dans l'objet tabou. Si l'interdiction a été violée, il faut écarter la vengeance du démon[1].

Mais Freud n'est pas satisfait de cette explication. Il considère que ni l'angoisse ni les démons ne peuvent être considérés comme causes premières. « Il en serait autrement si les démons avaient une existence réelle », mais ils sont des créations des forces psychiques de l'homme, tout comme les dieux, et il s'agit de connaître leur provenance et la substance dont ils sont faits[2]. Freud dit plus loin que démon, comme angoisse ou superstition, est une construction provisoire qui s'écroule face à la recherche psychanalytique, car elle n'est qu'un écran placé entre les faits et la connaissance[3].

A ce moment, Freud fait subir un tournant à sa réflexion et établit un rapport entre tabou et mort. De nombreux tabous se réfèrent aux morts, dit-il. Les primitifs ne dissimulent pas leur peur de l'esprit du mort et leur crainte de son possible retour[4]. Freud reconnaît que les primitifs souffrent à cause de la frayeur que leur inspire l'âme devenue démon. Mais, dit-il, cela ramène à la conception de Wundt du tabou comme équivalent de la crainte des démons[5]. On se trouve alors face à la nécessité de comprendre cette transformation et Freud cherchera une explication par le biais des troubles névrotiques. Remarquons qu'il opère ainsi son assimilation habituelle, toujours à mettre en question d'un point de vue épistémologique, entre primitifs et névrosés. Les reproches qui accompagnent le deuil lui montreront le chemin, dit Freud. Ces reproches sont justifiés, car le décès a satisfait un désir inconscient qui, s'il avait été assez puissant, l'aurait provoqué. Une fois la mort survenue, le reproche est la réaction contre le désir inconscient précédent[6]. Freud croit que c'est là l'explication du prétendu démonisme des morts.

1. *Ibid.*, p. 35; *GW*, p. 33.
2. *Ibid.*, p. 36; *GW*, p. 34.
3. *Ibid.*, pp. 113-114; *GW*, p. 119.
4. *Ibid.*, p. 71; *GW*, p. 74.
5. *Ibid.*, p. 71; *GW*, p. 74.
6. *Ibid.*, p. 74; *GW*, p. 76.

Le primitif projette franchement (pour lui, c'est le mort qui est devenu un mauvais démon et qui veut tuer les vivants), tandis que le sujet en deuil s'auto-reproche son ambivalence et refoule son hostilité.

Dans ce passage, *le démon signifie donc le désir de mort inconscient.* Ou bien il est projeté, ou bien il se retourne sur le moi propre sous forme d'auto-reproche. Nous pouvons hésiter sur la possibilité de continuer à considérer le démon comme métaphore des désirs libidinaux refoulés, le désir de mort n'étant qu'un cas particulier de ceux-ci, ou de supposer qu'il commence à s'apparenter à la pulsion de mort, comme nous le constaterons dans des écrits un peu postérieurs.

Plus loin, Freud rapporte que, pour Wundt, dans la croyance des peuples, les démons méchants sont plus anciens que les bons[1]. Il semble accepter cette hypothèse, puis signale que l'idée de démon dérive des relations établies entre les morts et les vivants. Le fait que les démons soient toujours conçus comme étant les esprits de personnes mortes récemment équivaut à une preuve incontestable de l'influence exercée par le deuil sur la formation de la croyance aux démons[2]. *Le démon est donc le parent haï, tué par le désir de mort inconscient.* Remarquons que Freud ne dit point qu'il s'agit du père, mais le caractère masculin et paternel du mort-démon semble, tout au long de la discussion, sous-entendu.

Cependant, l'idée que le démon signifie l'inconscient n'est pas abandonnée. Freud est d'accord avec les auteurs qui considèrent que les mauvais esprits sont les premiers-nés parmi les êtres spirituels. Il dit plus : « La première création théorique des hommes, celle des esprits... »[3]. Il veut indiquer sans doute qu'il s'agit là de la première projection. Mais : « Ce que nous projetons ainsi, tout comme le primitif, dans la réalité extérieure ne peut guère être autre chose que la connaissance que nous avons qu'à côté d'un état dans lequel une chose est perçue par les sens et par la conscience, c'est-à-dire à côté d'un état où une chose donnée est *présente*, il existe un autre

---

1. *Ibid.*, p. 79; *GW*, p. 82.
2. *Ibid.*, p. 80; *GW*, p. 82.
3. *Ibid.*, p. 108; *GW*, p. 114.

état dans lequel cette même chose n'est que *latente*, tout en pouvant redevenir présente. Autrement dit, nous projetons notre connaissance de la perception et du souvenir ou (...) notre connaissance de l'existence de processus *inconscients* (...). On pourrait dire que « l'esprit » d'une personne ou d'une chose se réduit en dernière analyse à la propriété que possède cette personne ou cette chose d'être l'objet d'un souvenir ou d'une représentation, lorsqu'elle échappe à la perception directe... ». Et quelques lignes plus loin : « L'âme animiste réunit les propriétés du conscient et de l'inconscient. Sa fluidité et sa mobilité, le pouvoir qu'elle possède d'abandonner le corps et de prendre possession, d'une façon permanente ou passagère, d'un autre corps sont autant de caractères qui rappellent ceux de la conscience. Mais la façon dont elle se tient dissimulée derrière les manifestations de la personnalité fait songer à l'inconscient; aujourd'hui encore, nous attribuons l'immutabilité et l'indestructibilité non aux processus conscients, mais aux inconscients... »[1].

Comme, en même temps, les démons sont le résultat de projections de l'âme animiste, voilà aussi une description de leurs caractéristiques. Nous pouvons dire à nouveau qu'ils représentent, figurent, métaphorisent l'inconscient.

Cependant, n'oublions pas que cette fois les démons ont été décrits comme le résultat de la haine ou tout au moins de la partie négative de l'ambivalence.

Freud cherche ensuite à expliquer l'origine du tabou de l'inceste. Il s'appuie sur Darwin pour supposer un père primitif violent, jaloux, gardant pour lui toutes les femmes et chassant ses fils à mesure qu'ils grandissent[2]. Freud essaie d'étayer cette hypothèse par l'expérience psychanalytique des phobies infantiles d'animaux, qui seraient analogues à l'attitude des primitifs[3].

Au fil de ses raisonnements, il en vient à situer le père à la place de l'animal totémique. La mise à mort de celui-ci dans des circonstances précises conduira Freud au deuil et à l'ambivalence affective envers le père, dont l'animal totémique est le substitut. A partir

1. *Ibid.*, pp. 109-110; *GW*, p. 115.
2. *Ibid.*, p. 162; *GW*, p. 171.
3. *Ibid.*, pp. 146-147; *GW*, p. 154.

de là, Freud crée son mythe de la mise à mort du père, dont nous connaissons l'importance pour la pensée analytique.

Le père de la horde nous semble un père-diable : il est étranger à toutes nos réactions (non humain), il ne refoule pas ses pulsions (le diable = la personnification de la vie pulsionnelle), il a des traits animaux (comme le diable avec sa queue et ses cornes) et de plus son narcissisme n'est-il pas une caractéristique démoniaque (Lucifer, la plus belle créature) ?

Que le père de la horde soit l'équivalent du diable, Freud ne le dit pas dans ce texte, mais il l'écrira dans « Une névrose démoniaque au XVIIᵉ siècle »[1], après que Reik l'eut fait.

Ce père, curieusement, ne revient pas comme démon après sa mort (tels les pères postérieurs), mais se perpétue comme animal totémique. Faut-il éviter d'imaginer la possibilité trop terrible de son retour ? Serait-ce là qu'il deviendrait vraiment le diable ?

La réminiscence diabolique se glisse pourtant dans une phrase : le système totémique était comme un contrat *(Vertrag)* (un pacte) conclu avec le père qui « promettait tout ce que l'imagination infantile pouvait attendre de lui, protection, soins, faveurs, contre l'engagement qu'on prenait envers lui de respecter sa vie... »[2]. Ce serait une sorte de pacte satanique à l'envers : c'est le père-totem-diable qui risque sa vie.

Freud insiste beaucoup sur la culpabilité et très peu sur la peur de la vengeance, qui est pourtant ce que montrent les primitifs dont il parle et, en partie, les enfants qui craignent la castration, ainsi que les personnes en deuil. L'absence de retour, sous forme de démon, du père primitif va aussi dans ce sens. Nous croyons que Freud escamote là, comme il le fait souvent, l'élément d'angoisse persécutoire face au diable ou au père-diable.

C'est aussi parce que le dieu de chacun est l'image de son père[3] et que Freud ne se décide pas à « démonifier » le père primitif car cela équivaudrait à en faire autant pour son propre père.

Comme très souvent quand le diable semble s'insinuer et est

1. Cf. plus loin p. 143.
2. *Ibid.*, p. 166; *GW*, p. 174.
3. *Ibid.*, p. 169; *GW*, p. 177.

plus ou moins rejeté par Freud, une citation de *Faust*, par déplacement, le remplace : « Un sentiment de responsabilité a persisté pendant des millénaires, se transmettant de génération en génération »[1]... C'est ainsi qu'il faut interpréter le mot du poète : « Ce que tu as hérité de tes pères, acquiers-le pour le posséder »[2]. Cette citation provient du monologue de Faust, après la visite de l'Esprit de la terre, qu'il n'eut pas la force de retenir et qui le laissa dans un état d'humiliation (comme un nain, comme un ver, avec un cerveau troublé). Il aurait mieux fait de dissiper son mince avoir. C'est là que se trouve la citation rapportée. Elle est suivie de : « Ce qu'on n'utilise pas est un fardeau pesant, seul ce que l'instant crée, l'instant peut l'utiliser »[3]. Freud, après cet ouvrage, se sent peut-être dans un état semblable. Il n'a pu retenir le diable-père qu'il avait conjuré, qui approchait de sa conscience, mais qui a été réprimé.

Plus loin, à propos du primitif et du névrosé qui ne connaissent pas de séparation entre la pensée et l'action, Freud cite : « Au commencement était l'action »[4] [5]. Ce sont des vers que Faust prononce quand Méphistophélès est déjà présent, mais encore sous forme de barbet. Faust, à ce moment, se sent illuminé par l'Esprit qui lui vient en aide et écrit cette phrase avec assurance. Son but est celui de parler de la création, en traduisant le « texte sacré » — c'est-à-dire l'Evangile. (Au commencement était le Verbe, au commencement était la Pensée, au commencement était l'Action.) Freud sent qu'il recrée le mythe des origines.

Dans « Psychologie collective et analyse du moi » (1921), la qualité diabolique du père de la horde primitive se montre de façon encore plus évidente. Freud le décrit comme se différenciant des membres de la horde par son manque d'attachement libidinal, inspirant des illusions d'amour — trompeur comme le diable donc — et persécutant ses fils qui vivent dans la crainte de sa personne. *Ce père est un diable. Seul le nom, réprimé, lui manque.*

1. *Ibid.*, p. 180; *GW*, pp. 189-190.
2. *Ibid.*, p. 181; *GW*, p. 190.
3. GŒTHE, *Faust*, Paris, Aubier-Montaigne, 1976, p. 24.
4. S. FREUD, *Totem et tabou*, Paris, Payot, 1976, p. 185; *GW*, IX, p. 194.
5. GŒTHE, *Faust*, Paris, Aubier-Montaigne, 1976, p. 41.

CHAPITRE XII

LE DIABLE ET LA MORT

— *Le diable se rapproche de la mort et du meurtre*

C'est ce que nous commençons à observer dans « Le Double », écrit par Rank en 1914[1], ouvrage qui semble être, d'une part, la continuation du cheminement entrepris par l'auteur dans « Le thème de l'inceste dans la poésie et les légendes »[2] et, d'autre part, l'effet de « Pour introduire le narcissisme », terminé par Freud fin février 1914.

« D'ange gardien de l'homme lui assurant l'immortalité, le double est peu à peu devenu la conscience persécutrice et martyrisante de l'homme, le diable »[3].

A partir de cette phrase, et en la retournant, nous pouvons caractériser le diable comme venant du double, étant persécuteur et préfigurant un surmoi cruel et sadique (ou ce qui sera plus tard appelé ainsi).

Plus loin, Rank dit que « l'idée du diable est devenue la dernière émanation religieuse de la crainte de la mort »[4].

Rank rattache ainsi le diable à la mort, lien rarement montré dans la psychanalyse jusqu'à ce moment, mais qui deviendra fréquent et qui coïncide d'ailleurs avec les croyances religieuses et populaires.

1. O. RANK, Le Double, in *Don Juan et le Double*, Paris, Payot, 1973.
2. Cité ci-dessus p. 90.
3. *Ibid.*, p. 73.
4. *Ibid.*, p. 73.

Tuer est le but dernier de la persécution du diable. Remarquons qu'il s'agit de tuer et non de châtrer. Cette caractéristique du diable qui tue nous semble se répercuter sur Freud et être, peut-être, importante pour un tournant de sa psychanalyse appliquée du diable.

Un puissant sentiment de culpabilité pousse le héros, dit Rank, à ne plus prendre sur lui la responsabilité de certaines actions de son moi et à en charger un autre, un double, qui est personnifié par le diable[1].

Le double, qui était à l'origine un substitut concret du moi, « devient maintenant un diable ou un *contraire* du Moi, qui détruit le moi au lieu de le remplacer. Le diable qui, d'après la croyance de l'Eglise, s'empare d'une âme coupable et la prive ainsi de l'immortalité, est donc un descendant direct de l'âme immortelle personnifiée qui, lentement, s'est transformée en un esprit mauvais. Ainsi, l'individu, sachant qu'il doit mourir, se punit lui-même par la conception d'un diable ennemi de son âme. Il vit avec la conscience de sa disparition prochaine ou plutôt avec un sentiment de culpabilité qui lui fait constamment craindre un arrêt de mort »[2].

Le double, devenu diable comme résultat de la lutte narcissique avec le moi, ne fut pas pris en considération par Freud. Mais nous croyons que c'est à partir de ce moment que le lien entre le diable et la mort commence à s'établir dans sa pensée.

L'idée que le diable est lié à la mort apparaît manifestement chez Freud dans « Considérations actuelles sur la guerre et sur la mort », article écrit en 1915. « Dans nos désirs inconscients, nous supprimons journellement, et à toute heure du jour, tous ceux qui se trouvent sur notre chemin, qui nous ont offensés ou lésés. « Que le diable l'emporte ! », disons-nous couramment sur un ton de plaisanterie destiné à dissimuler notre mauvaise humeur. Mais ce que nous voulons dire réellement, sans l'oser, c'est : « Que la mort l'emporte ! » »[3].

Le diable est ici synonyme de la mort, pour la première fois sous la plume de Freud, qui s'achemine vers une nouvelle interprétation

---

1. *Ibid.*, p. 106.
2. *Ibid.*, p. 115.
3. S. Freud, Considérations actuelles sur la guerre et sur la mort, in *Essais de psychanalyse*, Paris, Payot, 1981, p. 37; *GW*, X, p. 351.

du diable. Sans doute la guerre est-elle pour quelque chose dans l'importance que la mort et la haine prennent maintenant dans sa pensée. Probablement est-ce aussi l'influence de Rank.

L'esprit d'un article de Freud de 1916, *Quelques types de caractères dégagés par la psychanalyse*, se rapproche, en ce qui concerne le diable, de celui que nous venons de mentionner.

Au paragraphe de « Ceux qui échouent devant le succès », un des exemples proposés est le personnage de Lady Macbeth qui, ayant sacrifié sa féminité à son ambition et à son projet de meurtre, subit les conséquences qu'elle a réclamées. A un moment, elle a appelé les démons : « Venez, venez, esprits qui assistez les pensées meurtrières, désexez-moi ici... Venez à mes mamelles de femme et changez mon lait en fiel, vous ministres du meurtre » (acte I, sc. v)[1]. Une fois le meurtre accompli, elle n'enfantera pas d'héritier pour ce royaume obtenu grâce à l'assassinat.

Le diable est ici le ministre du meurtre. Il va de pair avec la désexualisation, rôle curieux si l'on songe à l'interprétation du diable = vie pulsionnelle refoulée si présente dans d'autres écrits, mais annonciateur de la future interprétation du diable = la pulsion de mort.

Quelques lignes plus loin, Freud signale que ces événements obéissent à la loi du talion[2]. La stérilité de Lady Macbeth est la punition de son crime contre la génération et si Macbeth ne peut devenir père, c'est parce qu'il a rendu des enfants orphelins et, en même temps, volé des fils à leur père. Les esprits du meurtre apparaissent donc, dans ce deuxième temps, comme les exécuteurs du châtiment, dans un rôle semblable à celui du Satan de l'Ancien Testament.

Mais ils sont aussi, psychanalytiquement parlant, des exécuteurs des désirs masochistes d'auto-punition (ce qui, à ce moment, lie le diable au masochisme).

Dans *Introduction à la psychanalyse* (1916-1917), cette poussée du mal et de la haine s'accentue. Il n'est pas tellement question du

---

1. S. FREUD, Quelques types de caractère dégagés par la psychanalyse, in *Essais de psychanalyse appliquée*, Paris, Payot, 1976, p. 115; *GW*, X, p. 373.
2. *Ibid.*, p. 119; *GW*, p. 377.

diable, mais les désirs de mort sont souvent métaphorisés en mauvais esprits. Et il semble s'agir de désirs de mort dont le lien au libidinal apparaît peu.

Mentionnons comme exemple quelques passages : « Des convictions que nous croyons étrangères à la matière humaine se montrent suffisamment fortes pour provoquer des rêves. La haine se donne librement carrière. Les désirs de vengeance, les souhaits de mort à l'égard des personnes qu'on aime le plus dans la vie, parents, frères, époux, enfants, sont loin d'être des manifestations exceptionnelles dans les rêves. Ces désirs semblent remonter d'un véritable enfer »[1]. L'inconscient diabolique revient, c'est l'enfer. Mais c'est un enfer rempli de haine et de meurtre; ce n'est plus le même enfer des désirs inconscients libidinaux, refoulés parce que inconciliables avec le moi. Celui-ci, c'est l'enfer du mal.

Freud remarque qu'on pourrait lui objecter qu'il est invraisemblable que le mal occupe une aussi large place dans la constitution de l'homme. Mais, demande-t-il à ses interlocuteurs supposés, quelle est leur expérience ? Leurs supérieurs, leurs concurrents, leurs ennemis sont-ils bienveillants ? Et puis la guerre, ses brutalités, sa férocité... ? Une poignée d'ambitieux aurait-elle suffi, sans la complicité de millions d'hommes, à déchaîner tous ces mauvais esprits[2] ?

Pendant cette période, que nous pourrions appeler de transition par rapport à notre sujet (transition entre le diable = les pulsions refoulées et le diable = la pulsion de mort), il convient de situer quelques études de Reik.

Ce sont des conférences prononcées entre 1914 et 1919 aux Associations psychanalytiques de Vienne et de Berlin, plus tard reprises et élargies dans un livre.

« La couvade et la psychogenèse de la crainte des représailles »[3] est un texte écrit en 1914, qui s'interroge sur l'origine psychique des démons que les primitifs cherchent à éloigner pendant l'accouchement de leurs femmes. Reik croit qu'il s'agit de projections des

---

1. S. Freud, *Introduction à la psychanalyse*, Paris, Payot, 1976, pp. 127-128; *GW*, X, p. 357.

2. *Ibid.*, p. 131; *GW*, XI, pp. 146-147.

3. T. Reik, in *Le rituel. Psychanalyse des rites religieux*, Paris, Denoël, 1974, pp. 41-104.

pulsions inconscientes agressives, analogues à celles qui se manifestent au moment de la mort du père. Dans le rite étudié, la peur des démons, avec son caractère de punition et de remords, surcompense les sentiments négatifs à l'égard de l'accouchée. L'hostilité inconsciente, produit du plaisir au spectacle des douleurs de la femme, est refoulée, puis projetée sur les démons. L'homme n'a qu'à combattre ces derniers[1]. Nous observons que ces démons pourraient être reliés au sadisme, composante libidinale, mais ne le sont pas et semblent se rattacher exclusivement au désir de détruire.

Dans ce même article, le sacrifice de l'enfant nouveau-né est expliqué par la conviction que celui-ci est le père mort, revenu pour se venger de ses meurtriers. Reik formule ici une hypothèse non exprimée par Freud (celle du retour du père mort devenu démon)[2]. Le nouveau-né inquiétant, dit-il, ne peut être que le père « démonique » dont le souvenir se perpétue chez le fils coupable[3]. Reik, nous le voyons, est d'accord avec nous pour qualifier ouvertement le père primitif de « démonique ». Il est, croyons-nous, le premier à le faire parmi les psychanalystes.

« Le Schofar », un texte écrit d'après une conférence prononcée en 1919, fait l'analyse du jeu de cet instrument musical pratiqué par les Hébreux pendant le mois qui précède le Jour de l'An, occasion où Satan est censé avoir le droit de citer tous les habitants de la terre devant le tribunal de Dieu, afin de présenter ses litiges contre eux. Le son du schofar, dans la mystique juive, est considéré comme devant troubler Satan dans ses accusations.

Satan, dit Reik, est le résultat de la projection dans le monde extérieur des sentiments d'hostilité de l'individu, dans le but d'alléger la culpabilité. En tant qu'accusateur, il répond au mécanisme psychique des hallucinations paranoïdes : des reproches que l'individu se fait à lui-même mais qu'il projette, « ... la voix de l'accusateur est en fait celle de la conscience morale de l'individu... »[4]. Freud avait proposé cette interprétation dans son commentaire à la confé-

1. *Ibid.*, p. 64.
2. Comme nous l'avons souligné plus haut p. 99.
3. *Ibid.*, p. 95.
4. *Ibid.*, p. 290.

rence de Heller en 1909[1], mais ne l'avait pas reprise depuis. Reik anticipe sur le futur surmoi accusateur. Il propose, en général, l'interprétation du diable comme représentant de l'hostilité, ce qui conduira bientôt à le considérer comme symbolisant la pulsion de mort. Mais, dans ces articles, l'hostilité n'est pas forcément sans lien avec le libidinal, puisqu'il s'agit du retour du père assassiné afin de pouvoir posséder les femmes et des souffrances endurées par celles-ci comme conséquence de leurs rapports sexuels.

— Le diable se lie à la pulsion de mort
La répétition est démoniaque

« L'inquiétante étrangeté » (1919) est l'article qui marque le tournant où surgit la répétition, étape du cheminement conduisant à la pulsion de mort. Cet écrit est aussi très illustratif des sentiments de Freud vis-à-vis de tout ce qui s'apparente au diabolique.

L'*Unheimliche*, l'inquiétante étrangeté, est « ... (un) concept apparenté à ceux d'effroi, de peur, d'angoisse, et il est certain que le terme n'est pas toujours employé dans un sens strictement déterminé, si bien que le plus souvent il coïncide avec « ce qui provoque l'angoisse » »[2].

Très vite, à la deuxième page de l'article, Freud se situe, comme d'habitude à ces occasions, parmi les sujets indifférents à ce sentiment : « ... l'auteur doit s'accuser d'être particulièrement peu sensible en cette matière, là où une grande sensibilité serait plutôt de mise. Voici longtemps qu'il n'a rien éprouvé ni rencontré qui ait su lui donner l'impression de l'inquiétante étrangeté »[3]. Cette affirmation est surprenante. D'abord, à propos de quoi une grande sensibilité serait-elle de mise pour écrire l'article ou pour être psychanalyste ? Et puis, pourquoi est-il si empressé de se démarquer de ce sentiment, arborant une attitude qui suggère toujours une (dé)négation ? Cette hypothèse se voit renforcée si l'on songe à ses expériences occultistes contemporaines et à ses superstitions. De plus, Freud se contredit

1. Cité ci-dessus p. 62.
2. S. FREUD, L'inquiétante étrangeté, in *Essais de psychanalyse appliquée*, Paris, Gallimard, 1973, pp. 163-164; *GW*, XII, p. 229.
3. *Ibid.*, p. 164; *GW*, p. 230.

en apportant plus loin deux exemples personnels, l'un, il est vrai, non présenté comme tel. Il s'agit de cette fois où, au cours d'un séjour dans une ville italienne, il ne réussissait pas à sortir du quartier des prostituées; puis de l'occasion où la répétition d'un nombre, le 62, dans des chambres d'hôtels, des cabines, etc., l'avait porté à croire à une allusion à l'âge qu'il ne dépasserait pas[1].

Freud est amené à parler de « L'homme au sable » d'Hoffmann[2], lorsqu'il se réfère à un ouvrage de Jensch qui propose ce conte comme exemple du caractère étrangement inquiétant produit par l'animation d'un objet inanimé. Le commentaire de Freud permet de glaner quelques éléments pour l'image du père-diable; il démontre que le facteur responsable de l'impression d'inquiétante étrangeté dégagée par le conte est le personnage de « L'homme au sable » qui arrache les yeux aux enfants. Freud le décrit d'une façon qui peut être considérée comme diabolique : méchant, apparaissant la nuit, détruisant les yeux avec des graines ardentes, volant jusqu'à la lune (astre des morts), étant de nature en partie animale (bec crochu), ayant pour petits des hiboux (oiseaux du sabbat). Mais Freud n'appelle pas cet « Homme » diabolique et retranche de son récit certains éléments présents dans le conte : les pratiques alchimiques de ce père (ou double du père du héros de l'histoire), et le dialogue avec son assassin présumé où ils se traitent de monstres diaboliques — Satan et Bête (la Bête de l'Apocalypse).

Freud pense que la crainte pour les yeux est un substitut de la peur de la castration opérée par le père[3]. Il croit que le père du héros et son assassin supposé représentent l'image du père décomposée, grâce à l'ambivalence du fils, en deux contraires : le premier, mauvais, menace d'aveugler-châtrer l'enfant, tandis que le bon père lui protège les yeux. L'étrangement inquiétant est dû au complexe de castration[4].

Freud a tous les éléments pour qualifier « L'homme au sable »

1. *Ibid.*, p. 189; *GW*, p. 250.
2. E. T. A. HOFFMANN, *L'homme au sable*, in *Contes fantastiques*, Paris, Flammarion, 1964, t. I.
3. S. FREUD, *L'inquiétante étrangeté*, in *Essais de psychanalyse appliquée*, Paris, Gallimard, 1973, pp. 185-186; *GW*, XII, p. 247.
4. *Ibid.*, p. 182; *GW*, p. 244.

de diabolique et, bien qu'il s'aperçoive que c'est lui le responsable de l'inquiétante étrangeté inspirée par le conte, il ne le fait pas. Il s'agit d'un nouveau rejet ou refoulement du père diabolique. Comme à d'autres moments quand il cite *Faust*, Freud, cette fois, ne parle pas du diable mais, dans une sorte de déplacement, des *Elixirs du diable* de Hoffmann[1] [2].

Comme pour Schreber et plus tard pour Haitzmann, ce caractère diabolique non explicité du père est lié à la castration. Le diable est, ici encore, le père castrateur, mais Freud réprime toujours l'explicitation de la condition diabolique du père.

Par contre, il n'oublie pas de mentionner le double parmi les phénomènes étrangement inquiétants et cite Rank : le double émanant du narcissisme primaire de l'enfant et du primitif, d'abord assurance de survie, devient, une fois cette étape dépassée, signe étrangement inquiétant de mort[3]. Freud n'indique pas directement la parenté entre le diable et le double, mais il le fait de façon détournée en disant que celui-ci s'est transformé en image d'épouvante comme, selon l'avis de Heine dans *Die Götter im Exil*[4], les dieux déchus devinrent des démons. Freud apprécie cette idée puisqu'il l'a déjà citée dans son commentaire à la conférence de Heller en 1909 et qu'il l'a transmise à ses disciples qui, eux aussi, l'évoquent souvent (notamment Jones et Reik).

Le démon fait de narcissisme primaire tourné contre le moi n'est pas la créature de Freud, il l'emprunte à Rank. Cependant, le rapport du narcissisme à la mort est présent chez Freud, ne serait-ce que dans le mythe choisi pour illustrer ce thème.

Ensuite, c'est la répétition qui surgit, pour la première fois explicitée comme telle, quoique le présent article ait peut-être été remanié après la rédaction d'*Au-delà du principe de plaisir*, que Freud cite à ce moment; tel est l'avis de Strachey[5]. Dans l'inconscient, dit Freud, règne un automatisme de répétition qui émane des pulsions. « Il

1. *Ibid.*, 184; *GW*, p. 245.
2. E. T. A. HOFFMANN, *Les élixirs du diable*, Paris, Verso-Phébus, 1979.
3. S. FREUD, L'inquiétante étrangeté, in *Essais de psychanalyse appliquée*, Paris, Gallimard, 1973, pp. 185-186; *GW*, XII, p. 247.
4. *Ibid.*, p. 188; *GW*, p. 248.
5. J. STRACHEY, Editor's note, in *The Uncanny*; *SE*, XVII, p. 218.

prête à certains côtés de la vie psychique un caractère démoniaque »[1]. Tout ce qui peut rappeler cet automatisme en nous-mêmes est ressenti comme étrangement inquiétant.

La répétition est vécue comme imposée, de même que le diable qui possède; elle apparaît par rapport à des faits négatifs (ici, un chiffre qui annoncerait la mort et un lieu de sexualité « mauvaise » où on est emprisonné); elle est néfaste et inéluctable[2]. En général, la répétition compulsive du bonheur, du succès ou de l'inspiration, n'est jamais mentionnée par Freud. Le jeu de l'enfant nous semble être un cas à part.

Freud parle ensuite du mauvais œil et de la toute-puissance des pensées et des souhaits de mort. Cela le porte à conclure que tout ce qui paraît étrangement inquiétant se rattache à des restes d'activité psychique animiste, une phase comparable au psychisme des primitifs que, pendant notre enfance, nous avons tous traversée et où, rappelons-le, les esprits et les démons occupaient une place de choix. L'étrange est ce que le refoulement a rendu autre[3]. C'est l'inconscient refoulé, comme le diable chrétien rejeté, ajoutons-nous. *Nous revenons donc à l'idée que le diable signifie l'inconscient refoulé, mais le contenu du refoulé est devenu autre : il se rapproche de l'animisme (les primitifs, le tabou, les morts-démons, le père diabolique) et est amené par la compulsion de répétition néfaste et inéluctable.*

Freud nous semble parvenu à l'un de ces très riches instants de sa pensée, moment charnière, où il est sur le point de modifier une idée, mais hésite encore et évolue dans un flou riche d'intuitions.

Remarquons cependant, avant de terminer le commentaire de cet article, que le diable, latent aux différents thèmes traités, n'est jamais spécifiquement désigné. Et ce n'est certainement pas parce que, dans l'imagination populaire, il ne soit pas étrangement inquiétant. C'est Freud qui l'a réprimé à nouveau. Nous le retrouvons dans l'ombre de ce qu'il dit et, tout comme l'ombre, le diable suit toujours ici l'enchaînement des phrases de Freud.

Dans *Au-delà du principe de plaisir* (1920), Freud établit que la

---

1. S. FREUD, L'inquiétante étrangeté, in *Essais de psychanalyse appliquée*, Paris, Gallimard, 1973, p. 190; *GW*, XII, p. 250.
2. *Ibid.*, p. 189; *GW*, p. 250.
3. *Ibid.*, p. 194; *GW*, p. 254.

compulsion de répétition provient de ce qui est refoulé dans l'inconscient. Elle fait revivre des événements passés qui n'impliquent aucune possibilité de plaisir et ne la comportaient pas non plus pendant l'enfance, avant le refoulement des motions pulsionnelles correspondantes. Le sujet, poussé par cette compulsion, se comporte comme quelqu'un qui n'a tiré aucune leçon du passé. Ce que la psychanalyse découvre dans le transfert des névrosés s'observe également dans la vie en général, où l'on trouve des personnes qui donnent l'impression d'être poursuivies par le destin et guidées par « une orientation démoniaque de leur existence »[1]. Cela ne vient pas de l'extérieur, mais d'influences subies au cours de la première enfance.

La répétition est donc, pour Freud, démoniaque. Elle agit sur le sujet de façon puissante et inévitable et est ressentie comme venant de l'extérieur. Elle est aussi automatique et incompréhensible et n'apporte que maux et souffrances. Signalons encore qu'il s'agit là également des caractéristiques de la possession diabolique.

Ensuite, Freud en vient à l'idée que la tendance à la répétition est plus primitive et plus forte que le principe de plaisir.

Si la tendance à la répétition est démoniaque, le démoniaque se sépare de tout rapport aux pulsions libidinales refoulées (parce que cherchant un plaisir interdit), pour se lier à ce qui ne tient pas compte du plaisir et est indépendant de lui. Ce qui demeure inchangé, c'est l'appartenance du démoniaque à l'inconscient, puisque c'est là que la répétition trouve son origine.

Freud réaffirme le caractère démoniaque de la tendance à la répétition quand elle est en opposition avec le principe de plaisir, fait souffrir le sujet et lui nuit. Cela permettrait d'imaginer un lien entre le démoniaque et le déplaisir auto-infligé, dans une formule proche du diable religieux populaire, qui angoisse une fois projeté à l'extérieur et punira en enfer. *Le diable figurerait ainsi le masochisme primaire.*

Poursuivant ses spéculations, Freud en arrive à dire que la fin vers laquelle tend toute vie est la mort, puisque, l'organisme souhaitant mourir selon sa propre voie, tout ce qui vit meurt finalement pour des raisons internes[2]. *La répétition démoniaque serait donc une*

1. S. FREUD, Au-delà du principe de plaisir, in *Essais de psychanalyse*, Paris, Payot, 1981, p. 61; *GW*, XIII, p. 20.
2. *Ibid.*, p. 82; *GW*, p. 39.

image de la mort en nous, le diable serait ce qui nous tue nous-mêmes, notre masochisme. Mais, mourir à sa manière ne relève-t-il pas aussi de l'orgueil de Lucifer ? Le vrai nom jamais donné par Freud à Thanatos serait-il le diable ?

Comme d'habitude, une citation du *Faust* vient s'ajouter à cette ambiance diabolique. L'évolution humaine est le produit de la différence entre le plaisir de la satisfaction obtenue et celui qui était recherché, c'est la force, comme dit le poète, « qui va de l'avant sans nul frein », « presse, indompté, toujours en avant »[1]. Il s'agit d'une phrase que Méphistophélès prononce quand il a revêtu les habits de Faust et se prépare à recevoir un écolier qu'il va plus ou moins berner. Ces vers commencent par : « Méprise la raison et la science... et je te tiens sans condition... Et quand bien même il ne se serait pas donné au diable, il lui faudrait pourtant tomber au gouffre »[2].

Freud sent-il qu'il s'est voué au diable en découvrant la répétition ? A-t-il fait un pas de plus vers l'identification à Méphistophélès ? S'est-il ainsi redonné au diable (la première fois c'était pour découvrir l'inconscient, comme l'étude de l'auto-analyse nous l'a montré) ? Nous croyons que c'est bien là ce qu'il ressent.

Le diable revient une dernière fois vers la fin de l'article quand Freud se demande s'il est sûr de ses hypothèses et répond qu'il est possible de suivre une ligne de pensée par curiosité scientifique ou se faisant l'avocat du diable, ce qui « ne veut pas dire qu'on ait vendu son âme au diable »[3].

« Pas vendu son âme au diable », c'est peut-être une dénégation. Freud paraît s'imaginer avoir conclu un pacte. Etre persuadé de l'existence de la pulsion de mort signifierait s'être vendu au diable. Et cela parce que *pulsion de mort et diable sont maintenant équivalents.*

— *Le diable est la mort*

C'est dans *Malaise dans la civilisation* (1929), ouvrage où la pulsion de mort occupe une place de choix, que cette idée s'exprime. L'homme est décrit comme n'étant pas bon : « ... il est tenté de satisfaire son

1. *Ibid.*, p. 87; *GW*, p. 45.
2. GŒTHE, *Faust*, Paris, Aubier-Montaigne, 1976, p. 59.
3. S. FREUD, Au-delà du principe de plaisir, in *Essais de psychanalyse*, Paris, Payot, 1981, p. 108; *GW*, XIII, p. 64.

besoin d'agression aux dépens de son prochain, d'exploiter son travail sans dédommagement, de l'utiliser sexuellement sans son consentement, de s'approprier ses biens, de l'humilier, de lui infliger des souffrances, de le martyriser et de le tuer »[1]. Nous nous apercevons aisément que Freud décrit ici l'homme comme un véritable démon du mal.

Cette tendance à l'agression, dit-il peu après, constitue le facteur principal de perturbation dans nos rapports avec notre prochain. « Par suite de cette hostilité primaire qui dresse les hommes les uns contre les autres, la société civilisée est constamment menacée de ruine ». « La civilisation doit tout mettre en œuvre pour limiter l'agressivité humaine et pour en réduire les manifestations à l'aide de réactions psychiques d'ordre éthique »[2]. De là viennent les restrictions de la vie sexuelle et l'idéal imposé d'aimer son prochain. Nous constatons qu'à ce moment Freud a changé d'idée sur le rôle de l'agression par rapport à la civilisation. Cette dernière est décrite ici comme destinée à enrayer l'agression plutôt que les désirs incestueux, comme c'était le cas précédemment (dans *Totem et tabou*, par exemple).

Cette ambiance de destructivité et de haine ne manquera pas d'inclure le diable. En effet, Freud se demande comment concilier la tendance innée à la méchanceté, à la destructivité et à la cruauté, avec l'imaginaire toute-puissante bonté divine. Sa réponse est que : « Le diable est encore le meilleur subterfuge pour disculper Dieu; il remplirait là cette même mission de « soulagement économique » que le monde où règne l'idéal aryen fait remplir au Juif »[3].

Nous reconnaissons là l'explication de l'existence du diable comme clivage de Dieu, constatée de nombreuses fois, mais le fait que Freud s'identifie à lui (le Juif) n'est pas sans nous étonner. Peut-être Freud se sent-il l'ennemi de Dieu à la suite de son ouvrage *L'avenir d'une illusion* (1927), où la religion était critiquée. Ou alors, Juif à une période où l'idéal aryen domine, tout au moins dans son pays, tend-il à s'identifier à l'agresseur et à se considérer comme mauvais.

---

1. S. FREUD, *Malaise dans la civilisation*, Paris, PUF, 1976, p. 64; *GW*, XIV, pp. 470-471.
2. *Ibid.*, p. 65; *GW*, p. 371.
3. *Ibid.*, p. 75; *GW*, p. 479.

Mais nous croyons que la vraie raison tient surtout à la découverte de la pulsion de mort, qui inflige une quatrième perte narcissique à l'homme : non seulement celui-ci n'est plus au centre de l'univers (ce que Copernic a montré), ni d'essence différente aux animaux (ce que Darwin a expliqué), ni maître chez soi (ce que Freud a déjà découvert)[1], mais encore, en lui-même, une pulsion œuvre à sa mort.

Probablement, c'est l'identification au diable qui inspire à Freud la réflexion suivante : il faut demander compte à Dieu aussi bien de l'existence du diable que de celle du mal qu'il incarne[2]. Puis il ironise : il convient de s'incliner très bas devant la nature profondément morale de l'homme, cela aidera à gagner la faveur générale et on sera pardonné. C'est-à-dire que Freud, adoptant un discours moqueur comme celui que Méphistophélès tient à l'Ecolier, conseille l'hypocrisie.

Ce discours-là n'est pas cité, mais, en note, Méphistophélès surgit : chez lui, l'identification du principe du mal avec l'instinct de destruction est tout particulièrement convaincante. Tout ce qui naît mérite de périr, il est l'adversaire, non pas de la Sainteté et du Bien, mais de la puissance de création et de la multiplication de la vie[3].

Cette citation nous confirme dans l'hypothèse que Freud, à cause de sa découverte de la pulsion de mort, s'identifie en ce moment au diable.

De nouveau le diable est l'ennemi de la vie, il est la pulsion de mort, il est la mort. Dans aucun texte ce ne sera plus clair qu'ici.

1. Comme FREUD l'a dit dans *Introduction à la psychanalyse*, Paris, Payot, 1976, p. 266; *GW*, XV, p. 295, et dans Une difficulté de la psychanalyse, in *Rev. fr. Psychanal.*, 1981, XLV, 6, pp. 1283-1290.
2. S. FREUD, *Malaise dans la civilisation*, Paris, PUF, 1976, pp. 75-76; *GW*, XIV, p. 479.
3. *Ibid.*, pp. 62-63; *GW*, p. 434.

CHAPITRE XIII

LES « DIABLES »
DE REIK ET DE LOU SALOMÉ

Ces ouvrages, que nous survolerons seulement puisqu'ils ne nous concernent ici que par leur éventuelle influence sur Freud, sont particulièrement intéressants et précèdent de fort peu le texte principal de Freud sur notre sujet.

Référons-nous d'abord à l'écrit de Reik, *Le dieu autochtone et le dieu étranger* (1923)[1] et en particulier à un de ses chapitres « Dieu et diable »[2]. Sa date de publication est la même que celle de « Une névrose démoniaque au xviie siècle » de Freud, mais Reik avait dû en parler à son maître ou lui lire son ouvrage, puisque celui-ci le cite[3].

Freud accepta et fit siennes quelques-unes des idées exprimées par Reik. Celui-ci s'occupe d'abord du dualisme dans les religions. Chez les peuples primitifs, dit-il, ce dualisme n'est pas très marqué : par exemple, chez les Australiens, la différence entre dieux et démons n'est pas très tranchée et il n'y a pas non plus de limite précise entre les esprits des morts et les démons.

Dans l'Antiquité, par contre, le dualisme est net. Il y a un clivage *(Abspaltung)* entre dieux et démons, qui participaient d'abord d'une seule et même nature. (Reik redit ainsi ce qu'avait déjà exprimé Jones en 1912.[4]

---

1. T. Reik, *Der eigene und der fremde Gott*, Leipzig, Vienne, Zürich, Imago, 1923, III.
2. *Ibid.*, « Gott und Teufel », chap. VII, pp. 133-357.
3. S. Freud, Une névrose démoniaque au xviie siècle, in *Essais de psychanalyse appliquée*, Paris, Gallimard, 1973, p. 227; *GW*, XIII, p. 331.
4. Cf. ci-dessus p. 91.

Cependant Reik ne s'occupe pas du vaste domaine du culte du diable; il étudie seulement le fait qu'à l'origine le diable ou le mauvais esprit n'était pas plus indigne que les dieux bons dont la puissance et le culte s'établirent postérieurement. Beaucoup de dieux se dégradèrent et évoluèrent vers un caractère démoniaque. Ainsi, les *deava* iraniens primitifs, ou dieux de la nature, se transformèrent plus tard en représentants du pouvoir ennemi du principe du bien Ahura-Mazda. De même, le Typhon grec et le Set égyptien ne furent pas des démons dès l'origine de leur culte et ne le devinrent que postérieurement. Lucifer, à l'époque pré-exilaire, était le serviteur de Yahwé. Ce n'est que par la suite qu'il se transforma en un dieu déchu, dit Reik.

Les démons sont des dieux dégradés, continue-t-il. Ils appartenaient à des religions révolues où leur culte dominait. Quand une nouvelle religion surgit, trois possibilités se présentent : assimilation des anciennes divinités sous forme de syncrétisme; passage d'une partie des dieux primitifs au service des nouveaux, comme héros ou anges; dégradation des anciens dieux en démons ou mauvais esprits.

Reik se demande à quel moment et selon quel processus se fait le passage de dieux à démons. Il croit que la cause efficiente réside dans l'ambivalence des sentiments, car le dieu du clan était brutal et haï et les premiers dieux étaient mauvais, comme le père-dieu de *Totem et tabou*. Ce caractère maléfique du dieu du clan et des dieux archaïques provenait de la projection de la haine. Les religions postérieures, psychiquement plus évoluées, gardèrent le mécanisme projectif, mais en le dirigeant vers les dieux primitifs du passé.

L'ambivalence s'atténue et est moins difficile à assumer si l'amour est dirigé vers un dieu-père bon, tandis que la haine est attribuée à un démon. Ainsi s'établit un clivage *(Zweispaltung)* entre l'amour et la haine.

Dans une phase de développement psychique encore plus évoluée, les démons dirigent leur haine vers Dieu. Dans ce cas, ce qui est projeté sur les démons, c'est la révolte du fils contre le père.

Le nouveau dieu, successeur des dieux archaïques, est un représentant du fils; ce qui fait que l'ancien dieu devient un dieu-père. Le clan des frères façonne le nouveau dieu par la déification d'un héros mort. Face à celui-ci, se dresse un rival qui porte la culpabilité inconsciente de tous, le démon. Il revêt les traits de l'ancien dieu de la tribu (le père). Le meurtrier du père, devenu sauveur, reparaît en tant que démon, son aspect clivé. Il a les mêmes traits que le mauvais père primitif.

En fait, comme Janus, le démon a deux faces : il est le père qui se venge et, aussi, le fils criminel qui doit être puni; il est à la fois l'ancien dieu-père et le fils rebelle.

Dieu et diable sont des formes complémentaires. Il n'y aurait pas de Dieu sans diable, comme il n'y a pas de fils sans père. Quand on ne croit plus au diable, on ne peut plus croire en Dieu, car les deux formes sont consubstantielles. Le diable, quand il essaie de troubler Dieu, représente une partie refoulée du moi.

Cet article, sérieux et intéressant, s'inscrit tout à fait dans le cadre des préoccupations de Freud par rapport au psychisme des primitifs (le mythe des origines, c'est-à-dire le meurtre du père et ses conséquences).

Reik suit également Freud dans son hypothèse du lien entre démons et anciens dieux. Mais, en ce sens, il s'aventure plus loin que son maître et propose une explication assez complète et psychiquement plausible.

Et surtout, Reik n'a pas « peur » du diable. Il en parle ouvertement, en long et en large. Nous pensons que cela a été important pour permettre à Freud d'écrire, tout de suite après, son étude d'un cas de possession et d'exprimer ses idées au sujet du diable dans le texte le plus complet qu'il ait consacré à l'étude de celui-ci.

L'ouvrage de Lou Andréas-Salomé est bien différent.

En 1922, elle fit paraître une sorte de poème dramatique, *Le diable et sa grand-mère*[1], qu'elle avait écrit en 1914, peu après son adhésion à la psychanalyse (1913).

Nous ne savons pas si Freud le lut, ni même s'il apprit son existence, car aucune trace dans son œuvre ni dans sa correspondance ne l'établit. Surtout nous ne retrouvons aucun commentaire dans ses lettres à Lou Salomé, à qui il était lié par une solide et franche

---

1. L. ANDRÉAS-SALOMÉ, *Der Teufel und seine Grossmuter*, Iéna, Eugen Diederich, 1922.

amitié, alors que généralement il lui adressait de longues réflexions sur ce qu'elle écrivait.

Mais il n'y a pas de raison pour que Freud ait ignoré l'existence de cet ouvrage, très au courant comme il l'était de tout ce qu'écrivaient ses disciples.

Deux hypothèses s'avèrent probables... Ou bien Freud n'a pas lu ce livre, non par ignorance de son existence, mais par rejet du titre où le diable est d'emblée lié à une figure féminine, ce qui, nous le savons, était plus ou moins inconciliable avec lui.

Ou bien Freud a lu l'ouvrage de Lou Salomé et celui-ci contribua à son désir d'écrire, lui aussi, quelque chose sur le diable, à savoir l'article publié l'année d'après.

Mais, dans cette deuxième hypothèse, il reste à expliquer pourquoi Freud ne fit jamais la moindre allusion à *Le diable et sa grand-mère*. Peut-être serait-ce à cause du diable tel qu'il y est présenté, bien différent de celui que Freud imagine.

A notre avis, le poème de Lou Salomé est très attachant, ouvert aux fantasmes inconscients et débordant d'idées nouvelles. Il met en scène le diable, qui s'ennuie dans l'enfer — en fait l'anus de sa grand-mère — et entreprend de séduire l'âme d'une jeune fille nouvelle venue. Il ne réussit pas, car cette âme demeure attachée à la vie et préfère le plus petit morceau de vie à la gloire d'être l'épouse du diable. Alors celui-ci, furieux, force la jeune fille à entrer dans son lit et, avec sa queue, la dépèce en petits morceaux à partir du nombril. Mais, après, il regrette cette destruction et se rend chez celle qui est en même temps sa grand-mère et sa mère, la mère et l'épouse de Dieu, pour lui demander de, à partir d'un tout petit morceau qui lui était resté, redonner la vie à la jeune fille. Profitant de cette espèce de repentir, la grand-mère propose au diable d'abandonner son rôle et de se réconcilier avec Dieu, son père. Pour cela, il doit s'exposer aux rayons de la lune qui l'anéantiront. Le diable finit par accepter et disparaît dans la clarté de la lune.

Ce diable de Lou Salomé possède quelques-uns des caractères que lui attribue le christianisme : il est séducteur, il n'est qu'apparence, il est rebelle face à Dieu.

Mais il montre aussi des traits différents. Au fond, c'est un enfant; il est animé de tous les désirs libidinaux de l'enfance; il recherche la protection de sa mère-grand-mère; il a peur face au danger; il imagine que les rapports sexuels se font par le nombril; sa destructivité a un caractère infantile; il est jaloux de son frère (le Christ); il est ambivalent face à son père (Dieu); il veut aussi s'unir à lui; il souhaite être une mère; il n'imagine que des situations sexuelles anales et masturbatoires; il cultive sa toute-puissance et se vante naïvement. Finalement, l'enfer étant décrit comme l'anus de sa mère-grand-mère, le diable est un fœtus anal ou un enfant excrément. Il se situe aux antipodes du « Seigneur de l'enfer, plus que mâle »[1].

Lou Salomé ne refoule aucun fantasme lié au diable et provenant de la sexualité infantile. Nous les voyons tous défiler. Son diable incarne la vie pulsionnelle, sans éliminer l'aspect sadique. Par contre, la pulsion de mort semble absente, ainsi que le caractère paternel. Ce diable est un enfant pervers polymorphe et ne ressemble pas du tout au diable de Freud, surtout à celui qu'il présente comme substitut paternel. C'est dommage que Lou Salomé n'ait rien élaboré théoriquement sur « son » diable.

---

1. S. FREUD, Une névrose démoniaque au XVIIe siècle, in *Essais de psychanalyse appliquée*, Paris, Gallimard, 1973, p. 232; *GW*, XIII, p. 335.

CHAPITRE XIV

« UNE NÉVROSE DÉMONIAQUE AU XVIIᵉ SIÈCLE »

Ce texte, écrit dans les derniers mois de 1922[1], fut publié au début de 1923[2]. Une lettre inédite à Eitingon du 13 novembre 1922, rapportée par Jones, indique les premières impressions enthousiastes de Freud à propos du cas qu'il se propose de commenter : « Une vérité psychologique remarquable s'y révèle avec une touchante naïveté »[3].

C'est un conseiller à la Cour, directeur de la Bibliothèque de Vienne, Payer-Thurn, qui, parmi des documents provenant du sanctuaire de Mariazell, retrouva un manuscrit du début du XVIIᵉ siècle concernant l'histoire d'un pacte avec le diable. Il s'y intéressa à cause du rapport avec la légende de Faust et, comme le héros était un peintre qui souffrait de crises convulsives et de visions, Payer-Thurn s'adressa à Freud pour avoir son avis médical[4].

Le projet initial de Freud et de Payer-Thurn avait été celui d'écrire un livre ensemble. Mais, pour des raisons que nous ignorons, sans doute des désaccords, Freud écrivit un article de son côté et Payer-Thurn publia un livre du sien[5].

1. E. Jones, *La vie et l'œuvre de Sigmund Freud*, Paris, puf, 1961, t. 3, p. 113.
2. J. Strachey, Editor's note, *SE*, XIX, p. 69.
3. E. Jones, *La vie et l'œuvre de Sigmund Freud*, Paris, puf, 1961, t. 3, p. 113.
4. S. Freud, Une névrose démoniaque au XVIIᵉ siècle, in *Essais de psychanalyse appliquée*, Paris, Gallimard, 1973; *GW*, XIII, p. 318.
5. R. Payer-Thurn, Faust in Mariazell, *Chronik des Wiener Gœthe-verein*, 34, 1, 1924.

Cette évocation initiale de Faust a peut-être stimulé dès le début chez Freud des idées et des fantasmes au sujet du pacte avec le diable.

— *Le manuscrit*

Rappelons d'abord les péripéties compliquées de la maladie du peintre, Christopher Haitzmann. Freud ne surnomma pas ce malade l'*Homme au diable*, comme il avait baptisé deux de ses patients l'*Homme aux rats* et l'*Homme aux loups*. Cependant, cette désignation lui aurait fort bien convenu, puisque toute sa vie — ou, du moins, ce que nous en connaissons — apparaît ordonnée autour du diable : il le veut pour père, il le considère comme son recours en cas de besoin, il l'établit comme objet de ses craintes et de ses angoisses, il en fait le modèle de ses peintures, il craint (désire) de lui remettre son corps et son âme.

Avec ces éléments, on aurait pu faire un drame, une légende ou un conte. Mais le manuscrit retrouvé aux archives de Mariazell n'est rien de tout cela. Il est constitué d'une série d'éléments plutôt hétéroclites : d'un côté, le *Journal*, les peintures et les pactes de Haitzmann, féeriques, coloriés et émouvants; de l'autre, les lettres, les attestations et les récits des religieux, qui se veulent objectifs, sérieux et dépourvus d'affects.

Freud, qui disposait d'une copie exacte du manuscrit, ne se servit que de quelques éléments. Nous ne connaissons l'ensemble que grâce aux publications postérieures de Macalpine et Hunter[1] et de Vandendriessche[2], qui reproduisent tout le document. (Macalpine et Hunter publient aussi la reproduction intégrale des peintures faites par Haitzmann.)

Pour essayer de rendre intelligible ce matériau, nous y introduirons un ordre chronologique. Rapportons d'abord la lettre du curé de Pottenbrunn, datée du 1er septembre 1677, moment où commence le récit. Ce curé adresse Christopher Haitzmann, peintre de son état, au sanctuaire de Mariazell, célèbre de ce temps-là par les miracles que la Sainte Vierge était censée y faire. Le curé explique

---

1. J. MACALPINE et R. HUNTER, *Schizophrenia 1677*, Londres, William Dawson, 1956.
2. G. VANDENDRIESSCHE, *The parapraxis in the Haitzmann case of Sigmund Freud*, Paris, Publications Universitaires Béatrice Neuwelaerts, 1965.

que, plusieurs mois après l'arrivée de Haitzmann à Pottenbrunn, période pendant laquelle il avait « exercé son art », le peintre fut, un jour, saisi, à l'église, de « terribles » convulsions. Interrogé expressément, il avoua avoir conclu un pacte avec le Malin, signé de son sang, neuf ans auparavant. A cette époque, Haitzmann souffrait d'un découragement relatif à son art et craignait de ne plus pouvoir subvenir à ses besoins. Malgré cela, il n'avait pas cherché le diable de lui-même, c'était celui-ci qui l'avait tenté neuf fois jusqu'à obtenir son engagement à être son fils pendant neuf ans, puis à lui appartenir « corps et âme » à partir de cette date. L'échéance arrivait le 24 septembre prochain. Et maintenant, Haitzmann se repentait et espérait que la Vierge de Mariazell obligerait le diable à lui rendre le pacte, afin qu'il soit délivré. Le curé désigne notre peintre : *miserum hunc hominem omno auxilio destitutum.*

La suite du récit, repris par un ecclésiastique compilateur des miracles survenus à Mariazell, raconte que Haitzmann, après son arrivée au sanctuaire, fut exorcisé dans la chapelle pendant trois jours et trois nuits. Le 8 septembre, fête de la Nativité de la Vierge, les exorcistes, grâce à la Sainte Mère de Dieu, virent leurs efforts couronnés de succès : le diable apparut au peintre et, dans un coin éloigné des religieux, lui rendit le pacte en question. Une attestation de Franciscus, abbé de Mariazell, déclare que ce miracle est vrai et dit que le motif initial du pacte était la mélancolie que Haitzmann ressentit à la mort de son père *(ex morte parentis)*.

Le fil de l'histoire, après un bref intervalle silencieux, est repris par le *Journal* tenu par Haitzmann entre le 11 octobre 1677 et le 13 janvier 1678, alors qu'il habitait à Vienne, chez sa sœur mariée. Il affirme avoir vécu en paix, après les exorcismes, pendant environ un mois. Mais ensuite, les apparitions diaboliques recommencèrent. Haitzmann les raconte avec beaucoup de vivacité et de nombreux détails, de sorte qu'on croit presque y assister.

Le thème général de ces apparitions est celui de la tentation, exprimé d'après le modèle évangélique des attaques du Malin contre Jésus retiré dans le désert, telles que les rapporte saint Matthieu[1].

1. BIBLE DE JÉRUSALEM, *Evangile de Matthieu* (3-11, 4-14), p. 1472, Paris, Desclée de Brouwer, 1975.

Pour Haitzmann, il s'agit, à tour de rôle, de mets délicieux offerts sur une superbe table de banquet, de la proposition de s'asseoir sur un trône d'or pour régner pendant toute l'éternité, de l'offre de se placer entre une belle dame et le diable. Celui-ci se présente régulièrement sous l'apparence d'un « *beau* chevalier » et ne semble nullement effrayer Haitzmann, si ce n'est après son réveil.

A la suite de ces apparitions-tentations, le peintre raconte une série de visions différentes envoyées par Dieu, lumières saintes et éblouissantes, d'où jaillissent des voix qui lui ordonnent de partir dans le désert pour y servir Dieu comme ermite. Une fois, ces lumières conduisirent notre malade en enfer où il vit les damnés, puis dans un endroit paisible où des ermites priaient. L'un d'eux habitait dans un trou depuis soixante ans et était nourri quotidiennement par un ange.

Les deux sortes d'apparitions (diaboliques et saintes) se terminaient de la même façon : Haitzmann se réveillait tout raide, criant au secours et, parfois, se roulant par terre. L'intervention de sa sœur et du mari de celle-ci, armés d'eau bénite et quelquefois accompagnés de prêtres, marquait la fin de chaque crise.

La dernière apparition relatée — une correction administrée par deux mauvais esprits qui le battirent jusqu'au sang pour l'obliger à obéir aux ordres divins et se retirer du monde — est une sorte de synthèse des visites du diable et des visions envoyées par Dieu. Elle survint presque immédiatement après que Haitzmann désira être le *bel* homme (encore !) qu'il avait vu accompagner une jolie fille, ce jour-là, à la cathédrale.

Le *Journal* s'arrête à ce point et c'est le compilateur religieux qui, sèchement, nous apprend la fin de cette histoire : en mai 1678, Haitzmann revint à Mariazell, en proie aux attaques du Mauvais Esprit, et demanda à être exorcisé à nouveau. Il souhaitait que la Sainte Vierge obligeât le Malin à lui restituer un autre pacte, écrit à l'encre et antérieur à celui qui avait fait l'objet de l'exorcisme de septembre 1677. Les exorcismes se déroulèrent et réussirent puisque le diable rendit ce pacte tout comme le premier. Haitzmann devint moine. Le diable, malgré cela, continua d'essayer de lui faire signer de nouveaux pactes, mais sans y réussir et seulement quand le peintre avait « bu de vin un peu trop ». Haitzmann mourut au couvent en 1700.

Le manuscrit contient aussi le texte des deux pactes par lesquels Haitzmann s'engage à être le fils du diable pendant neuf ans (pacte écrit à l'encre) et, en plus de cela, à lui appartenir corps et âme au bout de neuf ans (pacte écrit et signé par le peintre avec son sang).

Les peintures que Haitzmann exécuta pour remercier la Sainte Vierge sont conservées aussi dans les archives. Elles n'ont pas de valeur esthétique, mais leur intérêt psychanalytique est considérable. Le diable n'y est pas du tout représenté comme un *beau* chevalier (tel que Haitzmann le décrit dans le *Journal*), mais tout d'abord sous les traits d'un monsieur plutôt âgé et respectable, puis de plus en plus monstrueux, avec cornes, serres d'aigle, queue, ailes de chauve-souris, une espèce de pénis et, toujours, deux ou trois paires de seins volumineux. Ces êtres monstrueux n'ont pas d'identité sexuelle définie, du fait de la superposition du pénis et autres signes phalliques et des seins. (A l'exception de la sixième représentation où l'on voit un petit diable assez drôle, aux cheveux verts, semblant esquisser un pas de danse et dont l'allure est nettement féminine.) Le terme de cette régression, commencée à la suite du « monsieur » apparu en premier, est un dragon ailé, de forme phallique et orné aussi de mamelles.

L'article de Freud peut être considéré comme une étude portant sur deux sujets : la psychanalyse appliquée de Christopher Haitzmann et, s'appuyant sur celle-ci, l'interprétation créée par Freud du diable comme père. L'analyse appliquée du peintre nous semble, sans conteste, l'étude clinique la moins réussie que Freud ait jamais publiée. Par contre, l'analyse du diable-père marque l'étape majeure de la pensée et des fantasmes de Freud sur ce thème.

Notre intérêt porte sur l'interprétation du diable. C'est pourquoi nous éviterons, autant que possible, de surinterpréter ou de contre-interpréter l'analyse de Haitzmann, nous limitant à suivre de façon minutieuse et critique la démarche de Freud en tant qu' « analyste » du peintre. Mais l'interprétation que Freud donne du diable sera le centre de notre investigation; nous la suivrons de très près, en essayant de retrouver le point de départ de chaque idée, les fantasmes sous-jacents, les raisons possibles de certains silences et les aboutissements éventuels de chaque hypothèse.

Nous savons depuis longtemps déjà, au long de notre parcours, que Freud se montre très ambivalent par rapport au diable. Dans cet article, il réussit à séparer les sentiments contradictoires qui composent cette ambivalence : il dédie au diable les aspects positifs (admiration et amour) et à Haitzmann les côtés négatifs (mépris et rejet).

Suivons donc cet article pas à pas.

— L'Introduction

Dans l'*Introduction*, Freud propose d'emblée son hypothèse habituelle sur la similitude entre le psychisme de l'enfant et celui des humains adultes des temps anciens : les premiers [les enfants, les primitifs] nous montrent à l'œil nu bien des choses qui ne se révéleront plus tard [chez les adultes civilisés] qu'à la suite d'une interprétation approfondie[1]. Malgré les critiques dont cette équation « enfants-primitifs » a fait l'objet, de la part notamment de Lévi-Strauss, il n'est pas impossible qu'elle corresponde à quelque chose de relativement exact sur le plan de la pratique. Mais elle devient évidemment inadéquate quand il s'agit de comparer à un enfant un homme qui n'est pas un primitif et qui a vécu les événements relatés seulement quelque deux cent cinquante ans avant la rédaction de l'article (ou, si l'on préfère, trente-cinq ans avant la naissance de Gœthe).

Freud oublie sans cesse qu'il s'agit d'un malade qui n'appartient pas à la nuit des temps. Comme il n'ignore pas consciemment les différences entre le XVIIe siècle et les temps primitifs, nous devons chercher à nous expliquer cette fausse idée. D'une part, elle est le résultat de l'éloignement psychique ressenti face aux différences culturelles de classe et de milieu qui opposent ce petit artisan peintre d'un village catholique de la Bohême rurale du XVIIe siècle aux bourgeois intellectuels et incroyants, Viennois ou originaires de grandes villes, qui formaient la clientèle de Freud. D'autre part, et plus profondément, Freud semble vouloir se démarquer du passé superstitieux et obscur en tant qu'homme de science, influencé par l'*Encyclopédie*, Comte et l'école de Helmholtz. Mais, comme il avait,

---

1. S. FREUD, Une névrose démoniaque au XVIIe siècle, in *Essais de psychanalyse appliquée*, Paris, Gallimard, 1973, p. 211 ; *GW*, XIII, p. 317.

en général, abandonné ce souci depuis longtemps, tout au moins dans l'exposé de ses cas cliniques, nous supposons qu'il est question ici, pour Freud, de se distinguer du possédé.

Cependant, Freud est aussi attiré par ce possédé, car, quelques lignes plus loin, il fait allusion à Charcot qui, nous le savons, s'intéressait aux démoniaques : les névroses de ces temps lointains, dit-il, se présentent sous un vêtement démonologique, qui a été remplacé de nos jours par un déguisement en maladie organique et par une allure hypocondriaque[1]. Cette phrase n'est pas claire. D'une part, le vêtement démonologique de ces temps lointains renoue le fil avec Charcot, mais, d'autre part, l'allusion à l'hypocondrie apparaît incompréhensible. Elle pourrait signifier que Freud considère le peintre comme un hypocondriaque; mais, en fait, il ne formule, nulle part dans cet article, un diagnostic, sauf dans le titre et sous la forme, pour le moins vague, de « névrose démoniaque ». Freud pourrait aussi vouloir suggérer que l'hystérie du temps des « démoniaques » de Charcot doit être, en 1923, interprétée comme hypocondrie : hypothèse qui ne peut se soutenir, car la conception freudienne de l'hypocondrie — formulée en 1914 — ne saurait s'appliquer aux malades de Charcot ni même à Haitzmann[2].

Nous supposons, en fait, que le peintre fait ici « revenir » le souvenir de Schreber, à propos de qui, comme nous l'avons signalé, Freud avait scotomisé le diable. Schreber, lui, était hypocondriaque et peut-être Freud veut-il dire que Haitzmann est un Schreber moyen-âgeux. Association trompeuse, car Haitzmann n'a pas vécu au Moyen Age, si ce n'est dans l'imagination de Freud, et il ne ressemble à Schreber ni dans sa pathologie ni dans son histoire. Mais Haitzmann et Schreber se rapprochent en ceci : tous deux parlent du diable et du pacte signé avec lui. Haitzmann en fait son problème essentiel, tandis que, pour Schreber, ce n'est qu'un des éléments de son délire.

---

1. *Ibid.*, p. 211; *GW*, XIII, p. 317.
2. [L'hypocondrie est une névrose qui], « comme la maladie organique, se traduit par des sensations corporelles pénibles et douloureuses et se rencontre aussi avec elle dans son action sur la distribution de la libido. L'hypocondriaque retire intérêt et libido — celle-ci avec une évidence particulière — des objets du monde extérieur et concentre les deux sur l'organe qui l'occupe » (S. Freud, Pour introduire le narcissisme, in *La vie sexuelle*, Paris, puf, 1973; *GW*, X, p. 149).

Mis à part cette différence, leur rapport au diable est semblable en ce qui concerne deux points importants : un pacte avec lui est à l'origine de leurs souffrances (un pacte personnel dans le cas de Haitzmann, un pacte ancestral dans celui de Schreber) et ils sont l'objet de marques de préférence de sa part, puisque le diable propose au peintre de le prendre pour fils et que le Président est Prince de l'Enfer. Pour tous deux, le lien avec le diable est, à la fois, très angoissant et fort privilégié.

Tout ceci avait « déplu » à Freud au moment de l'étude du cas de Schreber et il l'avait scotomisé. Dans l'article que nous analysons ici, une sorte de retour du refoulé se produit, et le diable refoulé par Freud à propos de Schreber fait retour de façon indirecte, par le biais d'une ressemblance supposée entre les deux patients. Comme nous l'avons dit, ceux-ci, en fait, n'ont de semblable que le rapport particulier qui les lie au diable, mais Freud déplace cette similitude du type de rapport avec le diable sur une ressemblance des personnes. De cette façon, les rapports équivalents au diable, par déplacement, deviennent des malades analogues et le mot hypocondrie vient recouvrir le tout.

Cette désignation est tout à fait plaquée sur le peintre, qui n'est pas préoccupé de maladies somatiques, mais inquiet de son âme et effrayé des conséquences sexuelles fâcheuses de son pacte — la castration, la dévoration. Freud avait dû remarquer l'importance du diable pour Schreber, mais il l'avait scotomisée et éliminée de sa pensée consciente. Elle n'était pas pour autant disparue de ses fantasmes inconscients et elle « revient » ici, de façon dissimulée, puisque Schreber n'est pas nommé dans ce passage et ne le sera que quelques pages plus loin. Le terme d'hypocondrie, applicable à Schreber, établit ici, avec Haitzmann, une fausse connection qui évoque Schreber.

Peut-être aussi Freud s'appuie-t-il sur l'hypocondrie propre au cas déjà connu de Schreber comme une sorte de protection pour ne pas trop plonger dans les problèmes, pour lui très angoissants, de Haitzmann et de son diable-père. Car si ce cas peut apparaître comme une répétition, comme du « déjà connu », il est, naturellement, moins inquiétant.

L'idée que Freud avance tout de suite après nous confirme dans l'impression qu'il cherche à se réfugier dans des idées habituelles et donc rassurantes : « La théorie démonologique de ces sombres temps avait raison contre toutes les interprétations somatiques de la période des sciences exactes »[1]. Nous reconnaissons dans cette phrase, formulée de la même façon, l'ancienne appréciation par Freud de l'exactitude psychologique de la théorie médiévale de la possession[2]. Mais l'insistance renouvelée à situer Haitzmann au Moyen Age nous interpelle à nouveau. Peut-être que les « sombres temps » font allusion à l'époque dont nous n'avons pas de souvenirs, au moment lointain et impossible à dater des premiers refoulements. Haitzmann, placé dans une sorte d'atemporalité, jamais resitué dans son contexte historique et culturel, figure une représentation inconsciente, donc atemporelle, la représentation du « possédé ». Il s'agirait d'une représentation inconsciente construite par la condensation d'une série de représentations : Sigismund enfant, lié à sa bonne-sorcière qui lui parlait de l'enfer; Freud jeune, parcourant la route interdite de l'auto-analyse qui mène aux enfers intérieurs de l'inconscient et admirateur du diable, objet du culte de la « religion primitive »; les hystériques démoniaques dont parlait Charcot le magicien; et les premières patientes hystériques de Freud, possédées par leur inconscient démoniaque et séduites par leur père diabolique. Le possédé appartiendrait pour Freud à l'inconscient et c'est pourquoi il n'a pas à être situé correctement dans le temps historique.

— *Histoire du peintre Christopher Haitzmann*

Au premier chapitre (« Histoire du peintre Christopher Haitzmann »), Freud raconte rapidement les circonstances de son accès au manuscrit. Il ne commente pas l'effet que lui causa la demande d'un « avis médical » faite par Payer-Thurn, mais nous pouvons supposer que ces termes étaient susceptibles de lui poser problème car, en 1923, se sentait-il encore « médecin » ? Peut-être que non, et c'est pourquoi il minimise l'aspect pathologique (psychiatrique) du patient, ses crises notamment, mais il est possible aussi que l'idée

---

1. S. FREUD, Une névrose démoniaque au xviie siècle, in *Essais de psychanalyse appliquée*, Paris, Gallimard, 1973, p. 211; *GW*, XIII, p. 317.
2. Cf. ci-dessus pp. 23 et 33.

d'un avis médical à donner réveilla chez Freud une attitude orientée vers la recherche de la vérité « objective ».

Le premier sentiment qui apparaît dans ce chapitre, c'est l'enthousiasme : « Cette histoire démonologique d'un malade nous apporte vraiment un précieux fonds qui, sans beaucoup d'interprétation, s'offre en pleine clarté, de même que tel filon de mine à découvert livre en métal vierge ce qu'ailleurs on ne retire que péniblement du minerai par la fusion »[1]. Mais cette admiration ne va pas sans ambivalence car, malgré la clarté certaine du matériau (la naïve franchise de la recherche du diable comme père, les peintures où l'inconscient surgit mis à nu), Freud le négligera largement en écartant de nombreux éléments parmi les plus significatifs, telles les descriptions des visions et les peintures. Par contre, il s'attardera sur des détails concernant les pactes, qui ne semblent pas du « métal vierge », mais de petits débris ternes.

Pour expliquer ce procédé, deux hypothèses se présentent à notre esprit. Ou bien Freud a commencé par admirer ce « précieux fonds » d'inconscient « vierge », puis il s'est senti choqué par ce que Haitzmann exprimait, par exemple par le désir de se remettre corps et âme au diable-père. Ou bien il a eu une illusion de simplicité, qui ne découle pas de son interprétation du cas puisqu'elle s'impose *a priori* et tire son origine de Freud lui-même, du temps où le diable-père l'attirait[2] et où, pour aller à la rencontre de l'inconscient interdit et diabolique, nouveau Faust, il avait établi un pacte fantasmatique avec lui.

La phrase admirative qualifiant le cas de « précieux » et de « métal vierge », qui suggère quelque chose d'unique et d'enfin clairement visible, est contredite plus loin à plusieurs reprises. Par exemple lorsque Freud dit : « S'il nous était possible d'en apprendre autant sur Chr. Haitzmann que sur l'un de nos patients soumis à l'analyse... »[3]. Ou quand il commente : « Ne pouvant entreprendre une analyse... à propos de Chr. Haitzmann, mort en 1700, nous devons nous borner à mettre en évidence les particularités de l'histoire de sa maladie susceptibles de donner des indications sur les points de

---

1. *Ibid.*, p. 213; *GW*, p. 318.
2. Cf. ci-dessus pp. 34-37 la citation de la lettre 57 à Fliess.
3. *Ibid.*, p. 229; *GW*, p. 333.

départ *typiques* d'une attitude hostile envers le père »[1]. Et de même, comme nous le verrons plus loin, quand il se trouve réduit à imaginer la nature du conflit qui opposait Haitzmann à son père et propose de faire dériver l'inhibition au travail d'une obéissance après-coup due à un refus (imaginé par Freud) opposé par le père au désir de son fils de devenir peintre[2].

Cet effort pour expliquer le comportement de Haitzmann par des traits typiques ou, purement et simplement, en imaginant est l'aveu de la part de Freud de ce qu'il en sait bien moins sur lui que sur ses patients analysés, ce qui ne saurait étonner, mais dément la clarté et le caractère précieux. Ces qualités ne proviennent donc pas du patient, mais de l'émerveillement de Freud face à quelqu'un qui ose se proclamer fils du diable.

Freud se débat dans des contradictions. Se proclamer franchement fils du diable est beau et unique, mais ce « précieux fonds qui, sans beaucoup d'interprétation, s'offre en pleine clarté »[3] ne peut être interprété qu'en s'appuyant sur les cas obscurs et banals de tous les jours.

Pour délivrer Freud de ses contradictions, nous pourrions supposer qu'il a omis de travailler certaines parties du manuscrit susceptibles de l'éclairer sur le peintre et de lui éviter, pour essayer de le comprendre, d'avoir à s'appuyer sur des traits typiques, tout simplement parce qu'elles n'étaient pas à sa disposition. Mais ce n'est pas le cas : Freud déclare qu'il a devant lui une copie « exacte »[4] du manuscrit et il décrit correctement les divers éléments, tels que nous les rapportent Macalpine et Hunter et Vandendriessche. Ceci nous confronte au problème du choix que Freud a opéré parmi les peintures (3 étudiées ou mentionnées spécifiquement sur 9), ainsi que parmi d'autres éléments (inattention vis-à-vis du *Journal*). D'un point de vue méthodologique, une sélection est nécessaire, mais les critères qui y ont présidé doivent être expliqués.

Le problème du choix ne se circonscrit pas aux peintures, mais se pose aussi entre la parole du possédé et celle des ecclésiastiques.

---

1. *Ibid.*, p. 230; *GW*, p. 334. (Italiques de L. de U.)
2. *Ibid.*, pp. 229-230; *GW*, pp. 333-334.
3. *Ibid.*, p. 213; *GW*, p. 318.
4. *Ibid.*, p. 213; *GW*, p. 319.

Et, curieusement, c'est en faveur de la deuxième que Freud se décide. Tout se passe comme si, en rapportant le récit des événements de la vie de Haitzmann, Freud s'en tenait à la recherche d'une vérité « objective », comme un médecin psychiatre « scientifique » d'avant Charcot. Comme si les fantasmes ne l'intéressaient pas et comme s'il avait oublié que l'originalité de son dessein est de rendre la parole à tous ceux que la science n'écoutait pas : le névrosé, l'enfant, le rêveur, le primitif, le possédé[1].

Freud s'attache donc aux dires des prêtres. Il décrit longuement la lettre du curé qui envoya Haitzmann à Mariazell, puis les attestations des abbés et les raccords du compilateur de miracles[2]. Ensuite, il fait ressortir des contradictions qu'il ne serait pas inutile de rechercher, dit-il[3], ce qui nous conduit à nous demander à nouveau si Freud cherche à comprendre des fantasmes ou à élucider la réalité de ce qui s'est passé *vraiment* et dont, en tant que psychanalyste, il n'a que faire.

Entraîné par cette préoccupation au sujet de la réalité factuelle, Freud adresse des commentaires élogieux aux autorités monacales : « Il n'y est nullement soutenu que les prêtres assistants aient aperçu le diable, il y est honnêtement et simplement dit que le peintre s'arracha subitement des mains des prêtres qui le tenaient pour se précipiter vers le coin de la chapelle où il vit l'apparition et qu'ensuite il revint le billet à la main »[4]. Cette valorisation de l'honnêteté des spectateurs est frappante, car elle ne permet aucun progrès dans la compréhension des fantasmes du patient. C'est tout aussi surprenant que Freud surenchérisse encore sur cette importance de la « santé » en déclarant que si les religieux avaient prétendu voir le diable, « l'hypothèse la moins gênante »[5] aurait été celle d'une hallucination collective. Cette mise en valeur de la santé ne peut avoir pour contrepartie qu'une dévalorisation du malade halluciné : Freud se situe ouvertement du côté des honnêtes bien-portants. Par ailleurs, ce

---

1. Suggestion de Jean Laplanche.
2. S. FREUD, Une névrose démoniaque au XVIIᵉ siècle, in *Essais de psychanalyse appliquée*, Paris, Gallimard, 1973, pp. 213-215; *GW*, XIII, pp. 319-321.
3. *Ibid.*, p. 216; *GW*, p. 321.
4. *Ibid.*, pp. 216-217; *GW*, p. 322.
5. *Ibid.*, p. 216; *GW*, p. 322.

n'est pas évident que les ecclésiastiques auraient été superstitieux s'ils avaient « vu » le diable et ne le seraient pas quand ils croient à la restitution du pacte par l'intercession de la Sainte Vierge.

En somme, dans ce premier chapitre, Freud se montre ambivalent envers Haitzmann : il commence par l'admirer (métal pur), mais ensuite il s'embarrasse d'un souci non psychanalytique de la réalité factuelle et d'une acceptation valorisante de la parole des « normaux », face auxquels le possédé est inférorisé. C'est dire que le contre-transfert de Freud envers son « patient » devient rapidement négatif. Il semble s'identifier aux ecclésiastiques honnêtes et sains d'esprit, et peut-être cette identification est-elle à l'origine du choix du maté-riau ; Freud écarterait les peintures les plus « folles » et les éléments les plus irrationnels du récit des crises et des visions du *Journal*.

Si nous nous demandons d'où vient ce souci de la réalité objective, nous pouvons songer qu'il n'est pas nouveau chez Freud (situer exactement le traumatisme infantile, surtout dans les années 90, reconstruire la scène primitive vue par l'*Homme aux loups*...). Mais ce n'est pas la seule raison : ici, Freud souhaite fortement prendre ses distances par rapport au possédé. S'il est fou et malhonnête, Freud n'a aucune ressemblance avec lui et il ne risque pas de s'y identifier.

— *Le motif du pacte*

Dans le deuxième chapitre (« Le motif du pacte avec le diable »), Freud aborde tout de suite le sujet de son étude : « Si nous regardons l'histoire de ce pacte diabolique comme étant celle d'une maladie névrotique, le problème de la motivation du pacte... sera ce qui nous intéressera d'abord »[1]. Freud montre ainsi que ce moment, inscrit dans un processus général de soumission au diable, est pour lui l'élément premier. Cette idée provient, sans doute, d'une analogie avec Faust, cité du reste immédiatement, à propos des raisons de se donner au diable : « Que peux-tu bien donner, pauvre diable que tu es »[2][3] ? C'est une phrase prononcée par Faust quand Méphisto-phélès s'efforce de lui faire signer le pacte.

1. *Ibid.*, p. 219; *GW*, p. 324.
2. *Ibid.*, p. 219; *GW*, p. 324.
3. Gœthe, *Faust*, Paris, Aubier-Montaigne, 1976, p. 54.

Faust n'a pas raison, dit Freud, car le diable peut offrir toutes sortes de choses : richesse, sécurité face au danger, puissance sur les hommes et sur les forces de la Nature, arts magiques et, surtout, la jouissance de belles femmes[1]. Freud prend donc parti pour Méphistophélès et pour les avantages du pacte, d'une façon qui rappelle cette lointaine lettre 69 à Fliess[2], où il énumérait d'une manière assez semblable les avantages perdus à cause de la découverte du caractère fantasmatique de la séduction par le père. Le contenu latent (inconscient) de la pensée de Freud serait celui-ci : les avantages que la séduction opérée sur ses patientes par leurs pères lui apportait seraient équivalents à ceux que le pacte avec le diable procure. Il s'agirait d'une « alliance » entre Freud et les pères séducteurs-diaboliques. Etait-il identifié à Méphistophélès à ce moment ?

Mais ce que Freud admet pour Faust et pour lui-même, il le refuse à Haitzmann : « Par extraordinaire, ce n'est aucun de ces désirs si naturels » (puissance, gloire, jouissance) qui auraient déterminé le peintre dans sa décision[3]. Ainsi, Haitzmann, dit Freud, a refusé la magie (le pouvoir), comme le prouve une des légendes accompagnant les peintures : « *C'est pour la troisième fois qu'il m'est apparu au cours d'un an et demi sous cet affreux aspect, un livre à la main, dans lequel il n'y avait que de la sorcellerie et de la magie noire* »[4]. Freud ajoute, comme preuve supplémentaire du refus du peintre de s'adonner à la magie, que la notice jointe à la représentation d'une apparition plus tardive mentionne les vifs reproches adressés au peintre par le diable, après qu'il eut brûlé le livre en question. De même, ajoute Freud, Haitzmann refusa l'or et les amusements. Il faut donc, dit-il, chercher la raison quelconque [*irgend*] qui poussa le peintre à signer un pacte avec le diable[5].

Nous pensons que Freud fait une (dé)négation car l'insistance du diable, pendant un an et demi, pour essayer de remettre à Haitzmann le livre de sorcellerie indique la présence chez le peintre

---

1. S. FREUD, Une névrose démoniaque au xviie siècle, in *Essais de psychanalyse appliquée*, Paris, Gallimard, 1973, p. 219; *GW*, XIII, p. 324.
2. Cf. ci-dessus p. 27.
3. *Ibid.*, p. 219; *GW*, p. 325.
4. *Ibid.*, p. 220; *GW*, p. 325.
5. *Ibid.*, p. 220; *GW*, p. 325.

d'un désir durable et intense de posséder le grimoire. De même, quand le possédé déclare implicitement avoir fini par accepter, puisqu'il devait rendre ledit livre, ce à quoi il se refuse en arguant l'avoir brûlé, nous voyons là aussi un désir de puissance interdite. La (dé)négation de Freud se réitère à propos des plaisirs sexuels : Haitzmann affirme ne s'y être livré, avec le diable féminin de la planche VI[1], que pendant trois jours seulement, mais s'y être livré quand même. N'a-t-on pas le temps de jouir en trois jours ?

C'est comme si Freud, qui tient cependant le peintre pour quelqu'un à qui on ne peut accorder sa foi, le croyait maintenant « trop » et prenait le contenu manifeste de ses visions et de ses paroles pour le contenu latent. Il ne voit pas la (dé)négation et, ce faisant, (dé)nie lui-même.

Freud montre ainsi, à nouveau, son ambivalence envers Haitzmann, surtout en tant que héros d'une situation de pacte-séduction diabolique. Faust, figure idéalisée de Freud et de toute son époque, pouvait le conclure. Freud l'a établi métaphoriquement, au sens de pacte avec l'inconscient diabolique. Haitzmann n'est pas idéalisé par Freud, ses peintures n'ont aucune valeur esthétique, son pacte n'est point métaphorique mais « vrai » : il s'agit d'un superstitieux et Freud le rejette. Cela tient aussi, comme nous l'avons indiqué plus haut[2], à ce que le peintre représente le Freud séduit par le démoniaque du temps de l'auto-analyse et refoulé depuis. L'esprit tout occupé de Faust et de lui-même, Freud oublie, à nouveau, de resituer Haitzmann dans son contexte historico-culturel, qui peut l'avoir induit à dissimuler les jouissances éprouvées grâce au diable. Car, à la fin du xviie siècle, en Bohême, les persécutions pour faits de sorcellerie sévissaient encore[3]. Et si Haitzmann, qui n'était pas un possédé involontaire mais quelqu'un qui s'était sciemment remis au diable, avait déclaré qu'il goûtait avec joie les plaisirs offerts par celui-ci, on l'aurait brûlé.

Freud néglige aussi la situation du peintre qui ne peut vanter les dons du diable au moment même où il cherche à s'en délivrer

---

1. *Ibid.*, p. 220; *GW*, p. 325.
2. Cf. plus haut pp. 127-128.
3. Cf. J. Delumeau, *La peur en Occident*, Paris, Fayard, 1978.

et est saisi de la peur de se remettre à lui corps et âme. « Si donc il refuse magie, argent, plaisirs, bien moins en eût-il fait la stipulation d'un pacte »[1]. Pour trouver une raison satisfaisante, Freud se tourne vers les ecclésiastiques, semblant considérer qu'ils savent la « vérité ». En tout cas, ils ne s'embarrassent pas des fantasmes ni des contenus latents; ils mentionnent des faits et sont de bons partenaires pour rationaliser. Par ailleurs, étant donné leur pouvoir sur le diable qu'ils exorcisent et chassent, peut-être sont-ils rassurants. Or, les religieux déclarent que Haitzmann souffrait de « pusillanimité »[2]. Et Freud accepte leur point de vue : « Devenu mélancolique, le peintre ne pouvait ou ne voulait plus vraiment travailler et avait des soucis relativement à l'entretien de son existence, donc dépression mélancolique avec inhibition au travail et crainte (bien fondée) pour la subsistance »[3]. Ceci vient s'ajouter, dans l'esprit de Freud, à la phrase initiale du curé de Pottenbrunn : *miserum hunc hominem omni auxilio destitutum.*

Poussé par la « vérité » des paroles de ces prêtres honnêtes et psychiquement bien portants, Freud accepte, de façon étonnante, l'idée que quelqu'un se remette au diable — pour être son fils et lui appartenir corps et âme — à cause d'une crainte « bien fondée » pour sa subsistance[4]. Cette préoccupation pour la subsistance matérielle (puisque c'est à celle-là que Freud fait allusion) appartient au registre de l'auto-conservation, tandis que le pacte avec le diable-séducteur fait partie du registre des fantasmes sexuels et des plus archaïques parmi ceux-ci (la séduction étant une *Urphantasie*, un des fantasmes originaires). Ces deux mondes ne fonctionnent pas à l'unisson et leurs relations ne sont pas interdépendantes.

En outre, ce que les moines et le peintre appellent mélancolie, est-ce bien ce que Freud nomme ainsi ? C'est-à-dire un état qui « se caractérise du point de vue psychique par une dépression profondément douloureuse, une suspension de l'intérêt pour le monde extérieur, la perte de la capacité d'aimer, l'inhibition de toute activité

1. S. FREUD, Une névrose démoniaque au XVIIᵉ siècle, in *Essais de psychanalyse appliquée*, Paris, Gallimard, 1973, p. 220; *GW*, XIII, p. 325.
2. *Ibid.*, p. 221; *GW*, 326.
3. *Ibid.*, p. 220; *GW*, p. 325.
4. *Ibid.*, p. 220; *GW*, p. 325.

et la diminution de l'estime de soi qui se manifeste en des auto-reproches et des auto-injures et va jusqu'à l'attente délirante du châtiment »[1]. Le malade sait *qui* il a perdu, mais pas *ce* qu'il a perdu; il sait qui est la personne morte, mais pas ce dont il a été privé en la perdant[2]. Le patient s'adresse des auto-reproches, mais ceux-ci se dirigent à l'objet perdu, car le moi s'est identifié à lui[3]. Tout cela ne correspond que vaguement à la description que Freud donne de Haitzmann, puisqu'on ne la retrouve qu'au sujet de l'inhibition de toute activité et, peut-être, dans l'attente du châtiment. Mais Freud, qui semble avoir oublié son magnifique texte de 1917, a l'air de prendre ici la mélancolie au sens très large et « populaire » de tristesse.

L'abbé Franciscus (autorité religieuse de Mariazell au moment des exorcismes) fournit à Freud une cause plus profonde de la mélancolie de Haitzmann : *ex morte parentis* (à la mort de son père). C'est alors que le diable s'était présenté au peintre et lui avait promis de « l'aider de toutes manières et de l'assister »[4]. Freud accepte très vite cet « excellent motif »[5], après avoir scotomisé toutes les raisons habituelles de se donner au diable montrées par le peintre, peut-être peu valables pour les prêtres mais intéressantes pour le psychanalyste (l'or, le pouvoir, la jouissance sexuelle). Nous croyons que Freud est d'accord immédiatement parce qu'*il saisit cette occasion pour exprimer son idée si longtemps refoulée, scotomisée, réprimée, que le diable est un représentant du père.* Cette idée est toute prête dans l'esprit de Freud, le peintre puis l'abbé la proclament et Freud en profite pour la verbaliser enfin : *le diable, c'est le père.* Il remplace le père mort. Remarquons cependant que le diable est introduit ici comme un père peu séducteur et capable d'aider à l'auto-conservation. Est-il un père un peu bonne d'enfants, avec tout ce que cette appellation peut signifier d'ambigu pour Freud (la bonne-sorcière), mais « d'innocent » dans sa formulation ?

1. S. Freud, Deuil et mélancolie, in *Métapsychologie*, Paris, Gallimard, 1978, pp. 148-149; *GW*, X, p. 429.
2. *Ibid.*, p. 151; *GW*, p. 431.
3. *Ibid.*, p. 158; *GW*, p. 435.
4. S. Freud, Une névrose démoniaque au XVIIe siècle, in *Essais de psychanalyse appliquée*, Paris, Gallimard, 1973, p. 221; *GW*, XIII, p. 326.
5. *Ibid.*, p. 221; *GW*, p. 326.

Naturellement, Freud parle aussi en son nom : lui-même a été déprimé à la mort de son père, il était pauvre alors et c'est le voyage dans ses enfers intérieurs qui le délivra de ses difficultés.

Mais, bien que Freud trouve naturel de se donner au diable pour avoir un père, deux éléments le surprennent. D'abord le fait que les pactes ne stipulent pas d'obligation pour le diable; et ensuite, que Haitzmann soit tenu de devenir le fils du diable pendant neuf ans, puis de lui appartenir corps et âme. Quant au premier point, Freud oublie à nouveau de situer le peintre dans son contexte culturel, car, d'après la règle de la « coutume » satanique du XVIIᵉ siècle, les jouissances accordées par le diable sont sous-entendues[1].

Mais Freud raisonne en analyste cette fois. « Tout étonnement cesse cependant lorsque nous disposons le texte du pacte de telle sorte que ce qui y est indiqué comme étant une exigence du diable représente plutôt une promesse de sa part, par conséquent ce que le peintre exige de lui »[2]. Le peintre désire donc être le fils du diable. Mais pourquoi ? Et là Freud oublie le rôle de la sexualité, car il dit que c'est parce qu' « il a perdu, de par la mort de son père, toute envie et capacité de travail; si donc il retrouve un substitut de ce père, il espère récupérer cette perte »[3]. Freud subordonne ainsi la recherche de la paternité du diable à l'espoir de récupérer la capacité de travailler (auto-conservation) plutôt qu'au désir (libidinal) d'avoir un père et de se remettre à lui, comme au diable, « corps et âme ».

Par rapport à Haitzmann, le renversement de la promesse du diable en désir du peintre — bien que le sexuel soit relégué dans l'ombre — est une interprétation très ingénieuse, du genre de celles que Freud propose souvent dans d'autres textes. En ce qui concerne le diable, cette hypothèse repose sur des fondements anciens et solides chez Freud : d'abord les lettres 56 et 57 à Fliess et les thèmes de son auto-analyse, ensuite l'expression de cette idée par ses disciples (Jones en 1912, Ferenczi en 1913, Reik en 1923)[4] et enfin les fan-

1. Cf. J. CARO-BAROJA, *Les sorcières et leur monde*, Paris, Gallimard, 1972.
2. S. FREUD, Une névrose démoniaque au XVIIᵉ siècle, in *Essais de psychanalyse appliquée*, Paris, Gallimard, 1973, p. 222; *GW*, XIII, p. 327.
3. *Ibid.*, p. 222; *GW*, p. 327.
4. Cités ci-dessus pp. 91, 93 et 115.

tasmes sous-jacents à la scotomisation du diable dans l'étude sur Schreber et la répression du « diabolisme » du père primitif dans *Totem et tabou* et dans *Psychanalyse collective et analyse du moi*. Haitzmann fournit enfin à Freud l'occasion de formuler, tout à fait clairement, son interprétation : le diable, c'est le père. Et Freud en profite. Peut-être parce que le peintre lui permet d'exprimer cette idée comme étant celle d'un autre, d'un inconnu, de quelqu'un d'éloigné dans l'espace et dans le temps. Freud est ainsi « protégé » par les énormes différences qui le séparent de Haitzmann. Personne, pas même lui, ne peut soupçonner que le peintre le représente.

Malgré cela, même en parlant de Haitzmann, Freud ne dit pas tout. Car retrouver un père perdu rien que pour récupérer la capacité de travailler, cela a tout l'air d'une rationalisation. Dès ses premiers écrits, Freud nous a montré un père libidinal et séducteur. Très tôt, il le posa comme rival œdipien face à la mère et comme objet des désirs œdipiens négatifs et, plus tard, comme interdicteur de l'inceste et chargé de transmettre la loi. Le père apparut menaçant le fils de la castration s'il bravait l'interdit face à la mère; et, aussi, susceptible de devenir castrateur si le fils souhaitait se remettre à lui de façon féminine. Bref, Freud ne réduisit jamais le père, comme dans ce passage, au rôle de soutien anaclitique « pour travailler ». Dans cette phrase, nous ne pouvons que supposer des significations refoulées, notamment le désir du fils (Freud) de donner fémininement son corps à son père.

L'hypothèse d'un refoulement se voit confirmée si on remarque que Freud, à propos de Haitzmann, s'attache uniquement au désir d' « être le fils du diable » et laisse de côté le souhait de lui appartenir « corps et âme », pourtant stipulé dans le pacte écrit avec le sang du peintre. Appartenir « corps et âme » n'a point de liens avec l'auto-conservation et évoque un corps à corps certainement sexuel et/ou sexuel-destructeur.

— *Le diable-père*

Le troisième chapitre (« Le diable substitut du père ») est le plus important pour ce nouvel aspect de la psychanalyse appliquée du diable.

Freud plonge dans son sujet non sans quelques hésitations, qu'il attribue à une « froide critique »[1]. Celle-ci lui objecterait que le pacte exprime seulement l'obligation du peintre et qu'être le propre fils du diable n'est qu'une manière de parler[2]. La « froide critique » reprocherait au psychanalyste de compliquer les choses et de voir des mystères partout[3]. Nous remarquons aisément que Freud s'adresse là des objections extérieures et sans importance et nous n'avons à retenir que la froideur attribuée à la critique, indice probable de la « chaleur » (sexuelle) que ce sujet produit chez Freud. Pourtant, parmi ces pseudo-objections, Freud glisse une phrase qui mérite de retenir notre attention : « Un mélancolique en proie au tourment et à la détresse propres à cet état dépressif se voue au diable auquel il reconnaît le plus fort pouvoir thérapeutique »[4]. Comme il n'est dit nulle part que Haitzmann songeât au pouvoir thérapeutique du Malin, cette idée appartient à Freud, qui la projette. C'est lui qui l'a inventée, car le pouvoir de guérir est traditionnellement l'apanage de Dieu, des dieux ou des saints, tandis que le diable est doté du pouvoir de faire le mal. D'après le schéma traditionnel, la thérapie appartiendrait à l'ordre de Dieu. Mais Freud, ici, la fait changer de registre et l'attribue au diable. Peut-être cela provient-il de son ancienne idée, déjà exprimée à Fliess dans la lettre 57, que le diable est le centre de la religion primitive[5]. Mais, en tout cas, Freud ici s'identifie au diable, bien qu'il le décrive comme guérisseur. Ce diable serait-il un psychanalyste ?

Cette identification montre les hésitations de Freud à se ranger parmi les exorcistes, près du possédé ou du côté du diable. Jusqu'à présent, il semblait proche des religieux et prenant ses distances à l'égard du peintre. Mais, dans ce passage, il paraît tenté de prendre la place du diable.

Ferenczi avait parlé, en 1913, d'une phase de l'analyse pendant laquelle tous les patients transfèrent l'image du diable sur leur analyste[6]. Freud se souvient peut-être ici de cette idée. Mais cette expli-

1. *Ibid.*, p. 223; *GW*, p. 327.
2. *Ibid.*, p. 223; *GW*, p. 328.
3. *Ibid.*, p. 224; *GW*, p. 328.
4. *Ibid.*, p. 224; *GW*, p. 328.
5. Cf. ci-dessus p. 36.
6. Cf. ci-dessus p. 93.

cation par l'influence retardée d'une idée de Ferenczi ne suffit pas. Il faut plutôt songer à un désir de puissance magique et à l'attrait, souvent réprimé, mais manifesté ici clairement, pour le monde des ténèbres (et du mysticisme, de la religion, des esprits...). A ce moment Freud se permet de se sentir proche du diable.

Il y a d'ailleurs une similitude entre le rôle de représentant du père, attribué à l'analyste dans le transfert paternel, et celui que Haitzmann assigne au diable en le choisissant comme substitut de son père. De ce point de vue, le « contrat » analytique peut être considéré comme l'équivalent du pacte.

A la suite de cette insinuation d'identification (Freud-diable, diable-thérapeute), Freud déclare, essayant sans y réussir de se reprendre : « Soyons honnêtes et soyons francs, car c'est ce qu'on doit toujours pouvoir être sans effort spécial... Si quelqu'un ne croit pas [*glaubt*] d'avance à la valeur de la psychanalyse... », ce n'est pas le cas de ce peintre qui l'en convaincra[1].

Il serait naturel que Freud ne s'attende pas à se servir d'un cas de psychanalyse appliquée, basée sur des éléments peu nombreux et appartenant à un passé lointain, pour prouver la validité de la psychanalyse. Mais l'utilisation du verbe croire est frappante, puisque la croyance appartient à un autre univers que celui de la psychanalyse et relève du monde de la religion et de la mystique. Si Freud inclut la psychanalyse dans le registre de la croyance, elle risque d'être absorbée — dans la foi au diable peut-être ? Ce glissement nous semble signaler soit que Freud, ému (« chaud » par opposition à la froide critique), s'approche du diable comme un nouveau Faust, avec une sorte de foi, prêt, dans ses fantasmes inconscients, à se livrer à lui et consentant au fantasme de séduction qu'il lui inspire; soit qu'il est identifié à lui en tant que séducteur-guérisseur-fondateur d'une croyance. Naturellement, les deux positions sont complémentaires.

Pour s'encourager, Freud cite des vers prononcés par Ulysse dans *Philoctète* de Sophocle : « Ces flèches seulement conquièrent Troie, elles seules »[2] [3]. Dans cette tragédie, Ulysse, afin de parvenir

1. *Ibid.*, p. 224; *GW*, p. 329.
2. *Ibid.*, p. 225; *GW*, p. 329.
3. Sophocle, *Philoctète*, Paris, Garnier, 1883, p. 370.

à la conquête de Troie, se sert de toutes sortes d'astuces et de mensonges pour obtenir les flèches d'Héraklès qui, seules, peuvent lui donner la victoire. Il s'agit d'une tragédie où la ruse et la vilenie constituent les éléments du succès[1].

Freud connaît le contexte de ces vers, puisqu'il les a déjà cités, en grec, le 3 mai 1908, dans une lettre à Jung, où il commentait qu' « on ne doit pas se disputer quand on assiège Troie. Connaissez-vous ce vers de Philoctète ? »[2].

Pourquoi Freud, toujours d'une honnêteté exemplaire, comme il vient de se le rappeler à lui-même quelques lignes auparavant (signe peut-être qu'il désirait momentanément ne pas être honnête et le (dé)niait), prend-il à son compte cette phrase de ruse et de tromperie ?

C'est qu'il glisse ici à nouveau dans une identification au trompeur, Ulysse en surface (fourbe, menteur, astucieux, lui-même possible figure diabolique), le diable plus profondément. Peut-être n'est-ce qu'en s'identifiant au diable, ce qui éloigne le risque de se laisser séduire et permet d'assumer le rôle actif d'agresseur-séducteur, que Freud réussit à créer sa nouvelle interprétation : le diable, c'est le père.

Freud redit bientôt que « si quelqu'un ne croit [*glaubt*] pas à la psychanalyse et pas même au diable, on ne peut que lui abandonner le soin de savoir ce qu'il fera du cas du peintre »[3]. La croyance à la psychanalyse est posée sur le même plan que la foi au diable et nous nous trouvons face à une image de la psychanalyse comme pratique diabolique (donc séductrice et perverse ?). Peut-être la psychanalyse est-elle devenue, en ce moment, dans le fantasme de Freud, la religion primitive du diable de la lettre 57 à Fliess. Le diable, ce serait l'analyste, Freud lui-même, autant par désir de s'identifier à ce représentant paternel qu'il appellera bientôt le grand seigneur, que comme moyen de fuir la position passive du possédé séduit, ainsi que pour se rapprocher du monde magique des ténèbres.

La croyance à la psychanalyse une fois établie, Freud revient à

1. Cf. K. Reinhardt, *Sophocle*, Paris, Ed. de Minuit, 1971.
2. S. Freud, C. G. Jung, *Correspondance*, Paris, Gallimard, 1975, t. i, p. 211.
3. S. Freud, Une névrose démoniaque au xviie siècle, in *Essais de psychanalyse appliquée*, Paris, Gallimard, 1973, p. 225; *GW*, XIII, p. 330.

son hypothèse concernant Haitzmann : « Le diable auquel notre peintre se voue est pour lui un substitut du père »[1]. Le personnage sous la forme duquel il apparaît en premier sur les peintures répond à cette hypothèse, signale-t-il : un honorable bourgeois d'un certain âge, avec une barbe, un chapeau... Mais, comme Freud, naturellement, ne sait pas quel était l'aspect du père du peintre, nous pouvons supposer qu'il saisit avec empressement le personnage symbolisant en premier le diable parce que son allure correspond à celle des pères viennois du temps de Freud, à celle de son propre père, ou à celle de lui-même, comme père et/ou comme psychanalyste objet du transfert paternel. Freud rejettera ensuite toutes les autres représentations du diable proposées par Haitzmann.

Dans les peintures postérieures, dit Freud avec une sorte de regret, le diable se fait plus effrayant, plus « mythologique »[2]. C'est là la première référence à l'univers religieux et culturel de Haitzmann, puisque, par mythologique, Freud semble entendre les cornes, les serres d'aigle, les ailes de chauve-souris et le dragon. Ce dernier correspond, en effet, à la description donnée par l'*Apocalypse*, que le peintre connaissait certainement.

Cependant, Freud, qui vantait peu avant le souci de la psychanalyse pour les détails, ne s'arrête pas du tout sur les particularités des peintures représentant les visions ni sur le récit de celles-ci. Il préfère s'en tenir au diable-père, doté d'un aspect paternel traditionnel, et refuse de s'occuper du diable-beau chevalier décrit dans le *Journal* (qui risquerait d'être un père fascinant et de replacer Freud en position de fils séduit ?) et, tout autant, de suivre sa régression, au long des peintures, vers un être monstrueux, bizarre, irruption d'une représentation inconsciente pas suffisamment médiatisée par le processus secondaire, mise à nu toute « crue », comme une partie d'une formation de l'inconscient[3].

Freud refuse de continuer à s'identifier au diable, si celui-ci assume une forme archaïque (à caractères féminins et masculins, humains et animaux mélangés) et, tout autant, à s'identifier au possédé

1. *Ibid.*, p. 225; *GW*, p. 330.
2. *Ibid.*, p. 226; *GW*, p. 330.
3. Suggestion de Jean Laplanche.

qui a affaire à ce diable. Il abandonne là cette situation difficile et se tourne vers les rapports entre le père et le diable. Nous avons l'impression que Freud refoule le diable bizarre pour s'en tenir au diable honnête bourgeois. Il accepte de s'identifier à un diable paternel ou, comme nous le montrent les très nombreuses citations éparpillées tout au long de ses écrits, à Méphistophélès, bien qu'il soit ennemi du bien et de la vie et qu'il lie par ses pactes et pousse à braver les interdits. Mais, il s'agit là d'un « héros » de la culture de son temps et, grâce aux vers de Gœthe, tous ses méfaits sont présentés sous une forme sublimée. Surtout Méphistophélès se présente sous une forme humaine et masculine définie. Rien de féminin ni même d'ambigu en lui, rien d'animal non plus, si ce n'est un discret sabot de bouc présent beaucoup plus comme symbole que comme trait animal grossier. Rien encore de bizarre ni de non médiatisé par le processus secondaire.

Méphistophélès est un seigneur des ténèbres que Freud, tout au moins en partie ou par moments, admire et vis-à-vis de qui il assume une identification qui est, sinon consciente, préconsciente, puisqu'il emprunte ses paroles des dizaines de fois.

Mais revenons à notre diable honnête bourgeois. Freud déclare qu'il est étrange de choisir le diable comme substitut d'un père aimé. Or, personne n'ayant dit que Haitzmann aimait son père, Freud fait là ou bien une projection ou bien un raisonnement par analogie avec d'autres cas. Cela fait partie de ses efforts pour présenter, de façon plausible, le choix du diable comme substitut paternel. Toujours dans ce but, Freud se place dans le cadre de la religion : Dieu est un substitut ou une copie du père de l'enfance de l'individu ou de celui des temps ancestraux du genre humain[1]. Le père est l'objet de sentiments d'ambivalence, c'est-à-dire de soumission tendre et, aussi, d'hostilité et de défi. Cette même ambivalence domine les rapports de l'homme avec son Dieu[2].

Freud, cheminant vers un rapprochement entre Dieu et diable, fait remarquer que les dieux peuvent devenir de méchants démons

---

1. S. FREUD, Une névrose démoniaque au XVIIᵉ siècle, in *Essais de psychanalyse appliquée*, Paris, Gallimard, 1973, p. 226; *GW*, XIII, p. 330.
2. *Ibid.*, p. 226; *GW*, p. 330.

si de nouveaux dieux les refoulent[1]. Ce rapport de ressemblance, et même d'égalité possible sous-jacente, lui permet d'affirmer que Dieu et diable étaient identiques au début : « Une personnalité unique, laquelle, plus tard, fut scindée [*in zwei mit*] en deux figures douées chacune de qualités opposées »[2] (ce que Reik et Jones avaient déjà signalé)[3].

Ces deux personnalités sont le reflet de l'ambivalence de l'individu par rapport à son propre père, ensuite dirigée vers Dieu et vers son aspect mauvais scindé, le diable.

Le méchant démon est considéré comme l'antagoniste de Dieu dans un certain nombre de religions, dit Freud, mais « le prototype du diable dans la vie individuelle reste d'abord dans l'ombre »[4]. Cette dernière phrase est étrange, car les pères mauvais (ou séducteurs), comme ceux des hystériques des années 90 et ceux de Dora, de l'*Homme aux rats*, de Schreber, etc., ne manquent pas dans les cas publiés de Freud. Ceci nous porte à croire que Freud parle surtout pour lui et de façon défensive : c'est lui qui, dans son auto-analyse, laissa dans l'ombre précisément le mauvais père (ou le père séducteur) et préféra déclarer que sa bonne était l'*Urheberin* de sa névrose. C'est bien cette ombre, qui entoure et cache le père séducteur, qui a arrêté Freud sur le cheminement vers le diable-père. Haitzmann, s'exprimant manifestement, permit à Freud de lever ce refoulement. (Peut-être les écrits des disciples — Jones, Ferenczi et Reik surtout—, comme nous l'avons déjà dit, y furent-ils pour quelque chose aussi.)

Plus à l'aise, pour l'instant, à l'époque humaine archaïque, Freud y revient : « Aux temps primitifs des religions, Dieu avait lui-même tous les traits effrayants qui, par la suite, furent réunis dans son pendant contraire »[5]. Il se situe là dans une conception qui ferait du diable le prédécesseur de Dieu, phénomène qui se reproduirait pour le père : « Les religions porteraient alors l'empreinte ineffaçable que le père ancestral était un être d'une méchanceté sans bornes, moins semblable à Dieu qu'au diable »[6]. (Ici, Freud confirme notre

---

1. *Ibid.*, p. 227; *GW*, p. 331.
2. *Ibid.*, p. 227; *GW*, p. 331.
3. Cf. ci-dessus pp. 115 et 91.
4. *Ibid.*, p. 227; *GW*, p. 331.
5. *Ibid.*, p. 227; *GW*, p. 331.
6. *Ibid.*, p. 228; *GW*, p. 333.

hypothèse concernant le caractère démoniaque du père primitif)[1]. Le mauvais père est donc le prédécesseur du bon père, comme Freud a dit en 1915 que, dans la relation du sujet avec le monde, la haine est plus ancienne que l'amour[2].

Cependant, Freud abandonne rapidement l'hypothèse du caractère originaire du diable et du mauvais père et réaffirme que Dieu et diable étaient d'abord unis et que leur représentation, grâce à l'ambivalence des hommes envers leurs pères, se décomposa par la suite jusqu'à aboutir à deux contraires violemment opposés[3].

Ces contradictions dans la nature primitive de Dieu sont un reflet de l'ambivalence du fils envers le père, de sorte que c'est bien le fils qui est à l'origine de la méchanceté de son père et l'homme qui, par ses sentiments hostiles, crée le diable : « Si le Dieu bon et juste est un substitut du père, comment s'étonner que l'attitude opposée, de haine, de crainte et de récrimination, se soit formulée dans la création de Satan »[4] ? Voici donc énoncée une hypothèse générale pour expliquer l'existence du diable et il n'est pas indifférent qu'au moment où Freud l'exprime il donne au diable son nom hébreu, Satan, qui ressurgit peut-être de sa petite enfance. *Le diable serait donc né de la haine et de la crainte du fils envers son père.* Cette haine et cette crainte font du père *un être mauvais et effrayant* : *le diable.*

Le diable incarne certainement le mal, la haine, qui en douterait ? Mais Freud semble avoir abandonné la séduction, pourtant bien présente au départ dans ce désir de remettre au diable son corps et son âme. Est-il en train de rationaliser, de faire une théorie qui, bien que partiellement exacte, permet de laisser de côté des parties indésirables ? Nous le craignons.

Freud lui-même semble sentir qu'il est remonté trop loin dans le temps préhistorique et revient vers le présent, pour dire qu'il n'est pas facile de découvrir dans la vie psychique de l'individu la

---

1. Cf. ci-dessus p. 99.
2. S. FREUD, Pulsions et destin des pulsions, in *Métapsychologie*, Paris, Gallimard, 1978, pp. 42-43; *GW*, X, p. 231.
3. S. FREUD, Une névrose démoniaque au xviie siècle, in *Essais de psychanalyse appliquée*, Paris, Gallimard, 1973, p. 227; *GW*, XIII, p. 331.
4. *Ibid.*, p. 227; *GW*, p. 332.

trace de la conception satanique du père[1]. C'est comme s'il était disposé à proclamer le diabolisme du père primitif, mais réticent à en faire autant pour tous les pères (donc pour son père et pour lui-même). Il est rare de voir cela, dit-il, aussi clairement que chez Haitzmann[2]. Accordons-lui que c'est vrai, et que ni Freud ni ses analysés n'avaient des problèmes aussi manifestes avec le père-diable (leurs difficultés étaient plus latentes).

Sans doute après une relecture, Freud s'interroge sur la raison de ce changement et il répond, en note, par une explication déjà proposée par Reik[3] : la diminution de la foi religieuse a atteint d'abord le diable[4]. Cette possibilité nous paraît peu vraisemblable; car pourquoi les sentiments de haine et de défi constitutifs de l'ambivalence envers le père auraient-ils diminué de nos jours ? Pour notre part, le déclin du diable nous semble seulement apparent.

Après s'être occupé du diable (mais du diable en général, pas de celui de Haitzmann), Freud tourne son attention vers ce possédé. Il cherche la raison pour laquelle un homme peut souffrir d'une mélancolie à cause de la perte de son père. La réponse est conforme à sa théorie de la mélancolie (1917) : le deuil se transforme plus aisément en mélancolie quand le père mort était l'objet de sentiments ambivalents[5].

Comme Freud est dans l'impossibilité d'allonger Haitzmann sur son divan, il décide, afin de mieux le comprendre, de rechercher les particularités de son histoire qui mettent en évidence les points de départ typiques d'une attitude hostile envers le père[6]. Signalons à nouveau qu'il est surprenant que ce cas « métal pur » ne puisse être expliqué que grâce aux traits typiques découverts ailleurs, chez les cas banals quotidiens. S'il est vrai que Freud ne dispose pas des éléments que les associations de son « patient » pourraient lui fournir, il est exact aussi qu'il néglige une bonne part du matériau

1. *Ibid.*, p. 228; *GW*, p. 332.
2. *Ibid.*, p. 228; *GW*, p. 332.
3. T. REIK, *Der eigene und der fremde Gott*, Leipzig, Vienne, Zurich, Imago, III, 1923.
4. S. FREUD, Une névrose démoniaque du XVIIe siècle, in *Essais de psychanalyse appliquée*, Paris, Gallimard, 1973, p. 229; *GW*, XIII, pp. 332-333.
5. *Ibid.*, p. 229; *GW*, p. 333.
6. *Ibid.*, p. 230; *GW*, p. 334.

dont il dispose (le *Journal* presque entièrement, les peintures en grande partie), qui pourrait, d'une certaine façon et comme c'est le cas pour la psychanalyse appliquée en général, remplacer les associations. Nous avons, à nouveau, l'impression qu'un désir de maintenir une certaine distance avec le possédé et le diable guide Freud.

Il propose alors un certain nombre de traits typiques liés à l'ambivalence envers le père et susceptibles d'être présents chez Haitzmann. Parmi ceux-ci, Freud s'attarde sur l'obéissance rétrospective : son père lui aurait interdit de devenir peintre et, à la mort de celui-ci, Haitzmann se serait trouvé dans l'obligation névrotique d'obéir[1]. Cette possibilité est, évidemment, une pure invention de Freud que, dans le contexte du peintre, rien ne justifie.

Puis Freud se décide enfin à jeter un coup d'œil sur le *Journal* et les peintures et retient deux indices : *a)* l'insistance sur le nombre neuf (le pacte a été conclu pour neuf ans, le diable a tenté Haitzmann neuf fois), nombre qui, chez les névrosés, est lié aux fantasmes de grossesse; *b)* la présence de caractères féminins chez le diable qui, sauf quand il apparaît la première fois sous les traits d'un honnête bourgeois, porte des seins volumineux et pendants, sans toutefois montrer les organes génitaux de la femme[2]. Remarquons que Freud semblait éloigné de la sexualité, parlant de la haine, de la crainte et du défi, sans trop expliquer leurs raisons (œdipiennes par exemple, ou sadiques-anales), et que c'est le possédé qui lui fournit ces indices, sexuels tous les deux, et en rapport avec la féminité. Mais Freud n'accueille pas la sexualité avec joie. Il déclare que les seins sont en contradiction « frappante » avec l'hypothèse du diable comme substitut du père[3] et affirme qu'une pareille représentation du diable est « très insolite »[4].

Cette affirmation est tout à fait inexacte, puisque, bien au contraire, une telle figuration est de règle dans l'iconographie chrétienne du Moyen Age, de la Renaissance et du xviie siècle. Freud peut-il l'ignorer, lui qui aimait visiter les musées, qui admirait Signorelli

1. *Ibid.*, pp. 229-230; *GW*, pp. 333-334.
2. *Ibid.*, p. 231; *GW*, p. 335.
3. *Ibid.*, p. 232; *GW*, p. 335.
4. *Ibid.*, p. 232; *GW*, p. 335.

(les diables de son *Jugement dernier* montrent tous des seins), qui se plaisait sur les tours de Notre-Dame (les gargouilles et autres petits monstres diaboliques sont ornés de seins) ? Non, il ne peut l'ignorer; il s'agit d'un refoulement, d'une scotomisation fort tenace, d'un clivage même. Tout simplement, dans la pensée de Freud le diable-père ne saurait avoir des traits féminins : « il ne me semble pas qu'on représente jamais *le diable, qui est une grande et puissante individualité, le maître de l'enfer et l'adversaire de Dieu, autrement que mâle, même plus que mâle, avec cornes et queue et un grand pénis-serpent* »[1]. (Cette phrase nous semble avoir un sens encore plus fort en allemand.)

Nous voyons là éclater une expression d'admiration, d'idéalisation, d'amour même, de Freud à l'égard du diable, mais d'un diable uniquement masculin. Freud dénie les attributs féminins qui accompagnent généralement la représentation du Malin et imagine qu'il s'agit là d'une particularité inventée par Haitzmann. De cette façon, elle montrerait la pathologie du peintre, mais n'atteindrait pas la masculinité idéalisée du seigneur de l'enfer ni l'admiration que Freud lui porte.

Freud peut aimer le diable-père, mais à condition qu'il ne soit nullement féminin. Quelle est la féminité que Freud rejette ainsi ? Nous pouvons formuler deux hypothèses : ou bien il (dé)nie toute féminité au père et donc toute possibilité d'être l'objet de la séduction du fils; ou bien, craignant l'identification au possédé séduit, il refoule son éventuelle féminité, son désir, lié à sa « déclaration d'amour », de se remettre corps et âme au diable-père aimé. La deuxième hypothèse nous semble la plus vraisemblable car le refus de la féminité lié, parmi d'autres éléments, au rejet de la castration est une constante dans l'esprit de Freud.

Cependant, inconsciemment, il nous livre un indice de la présence chez lui, à ce moment, de cette angoisse de castration : c'est quand il fait allusion au diable, plus que mâle à cause de ses cornes, sa queue et son grand pénis-serpent, abondance de caractères phalliques qu'il avait décrite l'année précédente[2] comme signe, précisément, de l'existence d'angoisse de castration.

---

1. *Ibid.*, p. 232; *GW*, p. 336. (Italiques de L. de U.)
2. S. Freud, Das Medusenhaupt, *GW*, XVII.

Essayons de déterminer quelle est l'imago du diable qui, à cet instant, occupe l'esprit de Freud. Si nous « levons » ses refoulements et supprimons ses (dé)négations, nous découvrons deux possibilités. La première est que le diable est un père séducteur du fils; celui-ci se place en position passive, féminine et amoureuse et se remet à lui corps et âme; il devient ainsi un possédé. La deuxième possibilité fait apparaître le diable doté d'attributs féminins, tel que Haitzmann le représente, et, peut-être, attiré par la masculinité du fils. De ces deux façons, une relation de séduction homosexuelle s'établit.

Mais ce n'est pas tout. Freud a dé(nié) encore plusieurs éléments présents chez le diable de Haitzmann : les seins suggèrent l'oralité, l'or symbolise les excréments, les serres évoquent le déchirement, la remise du corps et de l'âme insinue la destruction. Freud, nous l'avons dit maintes fois, avait interprété le diable comme représentant des pulsions refoulées, puis il l'avait lié à la mort et à la destruction. Or, ici, au moment où il pourrait rassembler ces deux courants interprétatifs concernant le diable (c'est-à-dire le diable = les pulsions refoulées et le diable = le père), Freud se dérobe. Pourquoi ? Il semble qu'il ne veuille pas ou ne puisse pas attribuer au père (son père, lui-même, lui comme objet du transfert paternel) les désirs émanant des pulsions refoulées, autres qu'œdipiens positifs et génitaux, comme dans la séduction père-fille. Ou bien Freud ne peut admettre que l'imago du père représente ces désirs pré-génitaux, ou bien il ne peut accepter que les désirs archaïques soient projetés sur le père.

Une autre possibilité existe cependant. Un diable-père avec des éléments maternels n'est peut-être plus un père mais le représentant des parents fusionnés, ce que Melanie Klein appellera plus tard le parent combiné.

Freud avait admis une image de ce genre, en 1910, dans *Un souvenir d'enfance de Léonard de Vinci*, à propos des déesses maternelles, porteuses de phallus et de seins (Hator, Isis, Mout), qui réunissent des caractères maternels et virils : « Le phallus rapporté au corps féminin doit signifier la force créatrice primitive de la nature et toutes les divinités hermaphrodites expriment l'idée que seule la réunion du principe mâle et du principe femelle figure directement la perfection divine »[1]. Et, plus loin, il continue : « Elles surajoutent simplement aux seins, attributs de la maternité, le membre viril, selon la première représentation que se faisait l'enfant du corps de la mère »[2].

Nous comprenons facilement que ces déesses (aimées de Freud, qui ornait son bureau de leurs statuettes) sont essentiellement semblables, quant aux éléments, au diable peint par Haitzmann (phallus plus seins). Alors, pourquoi cette différence dans les sentiments de Freud ? Parce qu'une mère dotée de phallus, donc non châtrée, appartenant à l'époque où l'enfant ignore encore la possibilité de la castration, c'est une chose; un père avec des seins, donc féminisé, châtré au moins en partie, soit directement, soit par projection de la part du fils, c'est autre chose. Et aussi parce que les déesses égyptiennes semblent à Freud, malgré tout, féminines d'avant la « castration », complètes, tandis que le diable de Haitzmann lui paraît castrateur et terrifiant. La déesse mère phallique est une mère sans manque, le diable à seins, cornes, etc., est plus près du parent combiné, ce produit effrayant de l'angoisse liée à la scène primitive et à tous les sentiments destructifs engendrés par elle. Cet être ne crée pas, mais détruit. On ne le vénère pas, on souhaite l'attaquer ou le fuir. Freud n'est certainement pas conscient de tout cela, mais on peut observer les défenses qu'il met en œuvre : rejet, (dé)négation, refoulement, scotomisation rebelle des éléments féminins du diable.

D'ailleurs, Freud finit par songer au conflit homosexuel de Haitzmann. Grâce au nombre neuf et aux seins du diable, dit-il, le côté négatif des relations du peintre avec son père apparaît : il se débat contre l'attitude féminine par rapport à lui, dont le point culminant est le fantasme de lui donner un enfant[3]. Ce désir se trouve réactivé par le deuil du père disparu; le peintre, dit Freud, se défend de ses fantasmes érotiques en devenant névrosé et en ravalant son père[4].

1. S. FREUD, *Un souvenir d'enfance de Léonard de Vinci*, Paris, Gallimard, 1977, p. 71; *GW*, VIII, p. 164.
2. *Ibid.*, p. 76; *GW*, p. 166.
3. S. FREUD, Une névrose démoniaque au XVIIe siècle, in *Essais de psychanalyse appliquée*, Paris, Gallimard, 1973, p. 232; *GW*, XIII, p. 336.
4. *Ibid.*, p. 232; *GW*, p. 336.

Le ravalement du père consiste surtout, pour Freud, à le représenter avec des seins car, à son avis, l'attribution de caractères féminins humilie. Afin de comprendre les raisons de Freud, considérons les motifs qu'il propose pour rendre compte de ce fantasme de Haitzmann. Il en avance deux : le premier est que le fantasme de féminisation du père surgit par un rejet de l'attitude féminine, afin de lutter contre la castration, et s'exprime sous sa forme contraire, celle de châtrer le père, en faire une femme; les seins sont alors le résultat de la projection de la féminité du fils sur le substitut paternel. Le deuxième motif est que la figuration du diable comme père avec des seins est un indice du transfert sur le père de la tendresse infantile vouée à la mère, qui, à cause d'une forte fixation, serait responsable d'une partie de l'hostilité à l'égard du père[1]. De toute façon, pour résoudre son conflit avec le père disparu, Haitzmann, dit Freud, s'adressa à la Sainte Mère de Dieu[2].

Cette explication ne paraît pas satisfaisante. Car le retour vers la mère pour échapper à la castration par le père serait une régression vers la mère pré-œdipienne, l'oralité et la psychose, et ne supposerait pas une délivrance de la mélancolie. Or, Freud ne décrit pas Haitzmann comme devenant schizophrène après sa délivrance. La solution présentée là est bâclée, inspirée par le désir de se débarrasser de cette histoire de féminité du père ou de désirs féminins envers lui.

D'ailleurs, c'est assez curieux que Freud ne pense à Notre-Dame, en principe ennemie du diable et substitut maternel, que vers la fin du troisième chapitre de cet article, alors que dans le manuscrit elle apparaît dès le début. C'est comme si Freud n'envisageait qu'une relation duelle avec le diable. Peut-être comme si le diable était ou ce parent combiné dont nous avons parlé ou une mère archaïque.

Le recours à la Vierge Marie pour expliquer les seins du diable surgit ici de façon injustifiée, puisque le diable est régulièrement représenté avec des seins dans l'iconographie chrétienne. Mais c'est peut-être la seule façon possible pour Freud, à ce moment, d'arriver à exprimer tant soit peu son fantasme du diable-parent combiné.

Freud a du mal à accepter l'esquisse de ce fantasme et, par dépla-

1. *Ibid.*, p. 233; *GW*, pp. 336-337.
2. *Ibid.*, p. 233; *GW*, p. 337.

cement, attribue au seul possédé le conflit homosexuel et féminin. En effet, il déclare qu'il n'y a pas, dans les constatations psychanalytiques sur la vie de l'enfant, « de partie qui semble, à un adulte normal, aussi *déplaisante* et aussi *incroyable* que l'attitude féminine du petit garçon envers le père et le fantasme de grossesse qui en découle »[1]. Cette condamnation morale des désirs féminins de l'homme, qui est une introduction inattendue et intempestive d'un jugement de valeur au cours d'une étude psychanalytique où seul le fantasme intéresse, aboutit à une phrase encore plus frappante : « Nous n'en pouvons parler sans souci et sans besoin d'y chercher des excuses que depuis la publication, par le Président de la Haute Cour de Saxe, Daniel-Paul Schreber, de l'histoire de sa maladie psychotique et de sa guérison presque complète »[2].

C'est, naturellement, Freud qui trouve « déplaisante et incroyable » la position féminine de l'homme face au père séducteur (ou à la mère phallique séductrice ou au parent combiné excitant ?). Il n'aimait pas non plus être l'objet d'un transfert maternel, comme nous l'apprennent Hélène Doolittle et G. Groddeck. La première raconte qu'au cours de son analyse Freud lui dit une fois : « Et il faut que je vous dise... je n'aime *pas* être la mère dans un transfert. Cela me surprend et me choque toujours un peu. Je me sens tellement masculin »[3]. Quant à Groddeck, il transcrit une lettre que Freud lui adressa à Noël 1922 : « Votre façon de caractériser ma personne comme une image maternelle, rôle qui ne me convient évidemment pas, montre clairement que vous essayez de vous évader d'un transfert paternel »[4].

Freud trouve le diable, tout comme lui-même, très masculin. C'est là un signe d'identification Mais l'hypermasculinité du diable est édifiée sur une (dé)négation de ses attributs féminins et prégénitaux antérieurs à la connaissance de la différence des sexes.

Pour parler de la féminité de l'homme, Freud a besoin de la permission de Schreber, ce qui signifie qu'il lui faut l'autorisation d'un surmoi paranoïaque, donc homosexuel. Peut-être Freud veut-il dire

1. *Ibid.*, p. 234; *GW*, p. 337. (Italiques de L. de U.)
2. *Ibid.*, p. 234; *GW*, p. 337.
3. H. D., *Visage de Freud*, Paris, Denoël, 1977, p. 65.
4. G. GRODDECK, *The meaning of illness*, Londres, The Hogarth Press, 1977, p. 75.

que Schreber, son homosexualité et le diable dont il parle lui ouvrirent une voie pour reconnaître le diable comme représentant paternel.

Mais surtout, Freud montre qu'il lui faut un surmoi permissif pour aborder le désir de féminité chez l'homme et que ce surmoi, établi comme il est de règle dans la pensée freudienne à la suite de la dissolution du complexe d'Œdipe, serait paranoïaque et homosexuel. Comme Freud n'était pas homosexuel et que rien ne permet de supposer qu'il n'élabora pas son Œdipe, peut-être faut-il présumer l'existence d'une projection sur le père d'un aspect provenant de la mère ou de l'union des parents. Du reste, Freud lui-même a proposé cette hypothèse plus haut pour expliquer les seins du diable. Schreber, récemment évoqué, essayait de donner à son torse un aspect féminin[1] et l'on peut imaginer qu'il aurait été heureux de posséder les seins du diable.

Ce surmoi permissif, à aspects masculins et féminins mélangés, a l'apparence d'un surmoi précoce, prégénital. Il paraît surgir dans la pensée de Freud lié à l'image du parent combiné et comme son répondant. Nous savons que, tout autant le surmoi précoce que l'image du parent combiné sont à l'origine d'angoisses très importantes. C'est pour y faire face, ou plutôt pour les (dé)nier que Freud, pendant le reste de l'article, rejettera violemment Haitzmann.

Au commencement de ce chapitre, *le diable apparaissait comme né des sentiments négatifs englobés dans l'ambivalence du fils à l'égard de son père, crainte, hostilité et défi notamment. Petit à petit, l'autre versant de cette ambivalence, les sentiments amoureux passifs et féminins, se sont frayés un chemin. Et alors le diable surgit de l'amour féminin homosexuel que, en tant que représentant du père séducteur, il inspire au fils. Finalement, le diable s'est montré féminin aussi, constitué d'éléments appartenant aux deux sexes, étant peut-être le représentant des parents sexuellement unis, objet haï et, par conséquent, terrifiant.*

— *Les deux pactes*

Dans le quatrième chapitre (« Les deux pactes »), le diable, devenu le père séducteur homosexuel ou le parent combiné excitant et

---

1. D. P. Schreber, *Mémoires d'un névropathe*, Paris, Ed. du Seuil, 1975, p. 228.

angoissant, est un objet que Freud trouve « déplaisant et incroyable ». Il ressent un rejet fort violent à son égard, mais le déplace sur Haitzmann.

Freud commence par trouver très étrange qu'un individu se donne deux fois au diable[1], comme si cela différait de la répétition d'un symptôme, de la reproduction d'un fantasme, de la réitération d'un rêve. Il se réfère aux pactes comme s'ils possédaient une réalité factuelle.

Replongé dans cette recherche de la « vérité », que nous signalions en commentant le premier chapitre de cet article, Freud fait état des contradictions entre les diverses parties du récit et entre les deux pactes. Nous l'imaginons aisément dans le rôle d'un inquisiteur qui exigerait du possédé l'aveu de la vérité du pacte et la date précise de sa signature. Il nous évoque ainsi la période de ses débuts, quand il recherchait la réalité « objective » du traumatisme sexuel infligé par le séducteur (généralement le père). D'ailleurs, par la suite, toute l'argumentation de Freud prend, comme au chapitre concernant la motivation des pactes, une allure obsessionnelle. Après avoir longuement parlé du diable séducteur, Freud, par déplacement, oriente sa préoccupation vers des détails secondaires et éloignés de l'objet angoissant (le diable séducteur).

Dans ses efforts pour déterminer la date du pacte, Freud oublie l'atemporalité de l'inconscient, dont une des conséquences est l'impossibilité de fixer la date « réelle », « objective » d'un fantasme. Persistant dans sa recherche factuelle, Freud finit par proposer sa propre explication : Haitzmann ne signa qu'un pacte avec le diable et non les deux qui figurent dans le manuscrit. Le pacte signé vraiment, c'est celui écrit avec son sang, qui l'engage à être le fils du diable pendant neuf ans, puis à lui appartenir corps et âme. Le deuxième, écrit à l'encre, il l'inventa, parce que, après l'exorcisme de septembre 1677, il continuait à souffrir, voulait se faire exorciser à nouveau et n'osait pas revenir au sanctuaire dans cet état[2].

Tout ce raisonnement est assez curieux. Car soutenir qu'un des

---

1. S. Freud, Une névrose démoniaque au xviie siècle, in *Essais de psychanalyse appliquée*, Paris, Gallimard, 1973, p. 236; *GW*, XIII, p. 340.
2. *Ibid.*, p. 240; *GW*, p. 343.

deux pactes fut signé tandis que l'autre fut inventé sous-entend que le premier était « vrai » et que le diable serait donc *réellement* apparu. Est-ce que Freud « croit » au diable comme il croyait à la réalité factuelle de la séduction ? Lui-même pressent cette objection que lui adresseraient des lecteurs qui ne « croient » (encore !) ni à la psychanalyse ni au diable : ils diraient que tout cela n'existait que dans l'imagination du peintre. Mais non, réfute-t-il, les pactes ne sont pas des fantasmes comme les visions, ce sont des documents conservés dans les archives de Mariazell. Alors, ou bien le peintre les a fabriqués, ou bien les ecclésiastiques mentent[1]. Freud fait « confiance » au compilateur religieux. « Il ne reste donc qu'à accuser le peintre »[2], dit-il.

Si nous nous placions dans un registre de vérité-simulation, il faudrait bien accuser quelqu'un. Mais ce registre n'est pas celui de la psychanalyse, où le fantasme trouve sa place tandis que la vérité « objective » est désinvestie. Freud, ici, oublie cette donnée fondamentale et se laisse captiver par un climat de procès de sorcellerie : recherche de la réalité factuelle du crime de soumission au diable, existence objective de celui-ci, mise en accusation du possédé. Inconsciemment, Freud « croit » au diable-père séducteur et, pour se délivrer de cette « croyance », il proclame que tout cela n'est que mensonge et que Haitzmann est un simulateur. Les défenses employées sont la (dé)négation et la projection.

— *La névrose ultérieure*

Dans le cinquième chapitre (« La névrose ultérieure »), le mouvement de rejet vis-à-vis du possédé s'accentue de plus en plus, mais prend une autre forme.

Par névrose ultérieure, nous croyons que Freud veut signifier que la névrose démoniaque fut guérie par l'exorcisme et qu'ensuite survint cette névrose, fort atypique par rapport à sa pensée habituelle, qu'il décrit ici.

La discussion commence par l'indication que la lecture du *Journal* de Haitzmann permet de jeter un « regard profond » sur la « mise

---

1. *Ibid.*, pp. 242-243 ; *GW*, p. 345.
2. *Ibid.*, p. 243, *GW*, p. 346.

à profit de sa névrose »[1]. Freud fait ensuite un récit nullement profond de ce *Journal* et néglige d'interpréter, et même de transcrire, les diverses visions, les tentations que le diable induit, etc. Il semble en proie à une idée (la mise à profit), qu'il ne met pas à l'épreuve des faits.

Emporté par un dédain grandissant, Freud signale que « nous nous rappelons que le peintre s'était voué au diable parce que, après la mort de son père, mécontent et incapable de travailler, il était en peine de gagner sa vie »[2]. La dépression, l'inhibition au travail et le deuil du père, dit-il, sont reliés d'une manière « quelconque » [*irgend*][3], expression pour le moins désinvolte. Ce « quelconque » est pourtant expliqué : Haitzmann espérait que le diable devînt son père nourricier [*Nährvater*] (un père maternel peut-être ?), parce qu'il ne travaillait pas convenablement ou n'avait « pas de chance »[4]. Etonnante accumulation d'arguments sans rapports les uns avec les autres, agrémentée de considérations « objectives » (ne pas travailler convenablement) et de propos « d'homme de la rue » (pas de chance). La seule motivation psychanalytique (l'espoir de rencontrer le diable-père nourricier) n'est pas expliquée et ne correspond que vaguement à ce que Freud a développé précédemment.

Mais Freud n'est pas frappé par son propre raisonnement et affirme : « Nous sommes en présence d'un homme qui n'arrive à rien et auquel, à cause de cela, on n'accorde aucune confiance »[5]. C'est, évidemment, lui qui n'accorde pas sa confiance au peintre, ayant décidé d'abord qu'il mentait, puis qu'il mettait à profit sa névrose, et, enfin, qu'il travaillait mal. Il s'agit là d'une franche expression de contre-transfert négatif, déterminé par un rejet défensif du patient possédé, à la suite du long passage dédié au diable-séducteur. Profondément, Freud se rejette lui-même, ou son aspect séduit par le diable-père, longtemps avant lors de l'auto-analyse ou tout à l'heure au chapitre précédent.

Entraîné par ce rejet du peintre possédé, Freud en arrive à

---

1. *Ibid.*, p. 244; *GW*, p. 347.
2. *Ibid.*, p. 247; *GW*, p. 349.
3. *Ibid.*, p. 247; *GW*, p. 350.
4. *Ibid.*, p. 247; *GW*, p. 350.
5. *Ibid.*, p. 248; *GW*, p. 350.

l'insulte : les visions concernant les tentations (bonne chère, vaisselle d'argent et belles femmes) sont les fantasmes de désir d'un misérable [*Verkommenen*][1]. Cette attaque est due au mépris du possédé en tant que tel et n'a pas de rapport avec le contenu de ses fantasmes, car ceux-ci expriment les thèmes universels de la formulation des désirs érotiques. Freud les avait ainsi décrits au sujet de Faust[2], au deuxième chapitre de cet article et dans « La création littéraire et le rêve éveillé » (1907), ainsi que dans l'*Introduction à la psychanalyse* (1915-1917), où il avait signalé que l'artiste souhaite acquérir les honneurs, la puissance, la richesse, la gloire et l'amour des femmes (donc à peu près les mêmes désirs que Haitzmann montre sous forme de tentations) et réussit à s'exprimer dans la réalité matérielle d'une façon sublimée, qui permet à ses rêves de devenir une source de jouissance pour les autres[3] [4].

Malgré son contre-transfert négatif, Freud parvient à formuler une idée intéressante : avant l'exorcisme, la mélancolie rendait le peintre incapable de toute jouissance; après qu'elle fut surmontée, les convoitises temporelles reprirent vie[5]. Freud propose ainsi l'exorcisme comme thérapeutique de la mélancolie, comme moyen d'extraire le mauvais objet, ce qui rejoint la théorie exprimée, en 1917, dans *Deuil et mélancolie*. Ce schéma permettrait d'attribuer au diable le rôle du mauvais objet interne parental et mort et à l'exorciste celui du psychanalyste (et *mutatis mutando* vice versa pour les deux termes). Freud, l'analyste, pourrait trouver là un repère identificatoire (l'exorciste) et un fantasme de pouvoir sur le diable (parent séducteur-mauvais objet). Il oscillerait ainsi, ce qui nous paraît être le cas pour l'analyste dans sa pratique, entre une position de parent séducteur et craint et une position d'exorciste, libérateur des mauvais objets internes.

Mais Freud ne se sent pas thérapeute de ce Haitzmann simulateur qui met à profit sa maladie (ou bien il craint trop le diable

1. *Ibid.*, p. 248; *GW*, p. 350.
2. Cf. ci-dessus p. 132.
3. S. Freud, La création littéraire et le rêve éveillé, in *Essais de psychanalyse appliquée*, Paris, Gallimard, 1973; *GW*, VII.
4. S. Freud, *Introduction à la psychanalyse*, Paris, Payot, 1976; *GW*, XI.
5. S. Freud, Une névrose démoniaque au xviie siècle, in *Essais de psychanalyse appliquée*, Paris, Gallimard, 1973, p. 248; *GW*, XIII, p. 350.

en ce moment pour s'attribuer des pouvoirs sur lui). Et il s'appuie sur la vision de l'ermite, habitant au fond d'un trou depuis soixante ans et nourri par les anges, pour dire que l'évocation de cette situation amena le peintre à choisir un mode de vie (le couvent) où le souci de la nourriture lui fut épargné[1]. Freud ne se donne pas la peine d'interpréter de façon psychanalytique ni ce fantasme ni ce choix. Il tient de la sorte le discours d'un adversaire de sa propre pensée. C'est ainsi qu'il ajoute que, à cause de son dénuement, Haitzmann entra en religion et, alors, sa lutte intérieure et sa misère matérielle prirent fin[2].

Cette explication présente la névrose comme susceptible de disparaître par une décision consciente, comme si les pulsions et le refoulement n'existaient pas. Et, en effet, Freud ajoute que « cette névrose apparaît comme un tour de passe-passe qui recouvre tout un côté de la grave, mais banale, lutte pour la vie »[3]. Et il surajoute encore que les psychanalystes savent combien il est peu avantageux de soigner un commerçant qui montre des signes de névrose, parce que celle-ci « procure au malade l'avantage de pouvoir dissimuler ses réelles préoccupations d'existence derrière ses symptômes »[4] et non, comme il l'aurait dit en toute autre occasion, parce que les mauvaises affaires sont la conséquence de la névrose ou lui servent de prétexte.

Cette explication de la « névrose ultérieure » de Haitzmann est frappante. Elle est unique dans les écrits de Freud par son caractère jungien — la préférence accordée au conflit actuel —, par sa (dé)négation de l'importance des fantasmes, des pulsions, du refoulement et par la motivation attribuée à l'auto-conservation aux dépens de la sexualité. On croirait entendre la parole d'un « autre ». S'agit-il d'une possession à l'envers, Freud étant réactivement possédé par la raison, par les Lumières (réactivement à l'acceptation de la séduction par le diable-père) ?

Nous pouvons affirmer que cette psychanalyse appliquée est la moins bonne que Freud ait jamais proposée.

1. *Ibid.*, p. 249; *GW*, p. 351.
2. *Ibid.*, p. 249; *GW*, p. 351.
3. *Ibid.*, p. 250; *GW*, p. 352.
4. *Ibid.*, p. 250; *GW*, p. 352.

Par contre, c'est dans ce texte que Freud a exposé enfin son interprétation souvent refoulée ou tout au moins réprimée concernant le diable-père. En ce sens, cet écrit marque l'aboutissement d'un des deux courants de la psychanalyse appliquée qu'il a faite du diable (l'autre courant étant l'interprétation du diable comme représentant des pulsions refoulées).

Freud se « permet » ici d'interpréter le diable comme père séducteur et castrateur du fils. Mais il ne va pas au-delà dans l'analyse de la féminité incluse dans cette relation. C'est ou bien à cause de son conflit avec la féminité, ou bien à cause de son rejet d'un élément présent chez Haitzmann que Freud nomme « métal vierge » et que nous appellerions représentations inconscientes non médiatisées par le processus secondaire, source d'une énergie non liée, finalement auto-destructrice. Il s'agirait là d'une formation de l'inconscient ou d'une partie de formation de l'inconscient mise à nu[1], que Freud trouve insupportable, d'une part parce qu'elle contient un élément qui est inconciliable avec lui (la féminité), d'autre part parce qu'il ne tolère pas le caractère non médiatisé de ces représentations.

Freud n'aborde pas non plus la possibilité de ce que le diable représente un objet parental combiné, père et mère en même temps. Et cela sans doute à cause des mêmes raisons que pour le diable séducteur-castrateur : c'est une représentation qui est inconciliable avec lui parce que trop archaïque et non secondarisée[2].

---

1. Indication de Jean Laplanche.
2. De nombreux auteurs s'occupèrent de ce cas et de son interprétation par Freud. Suivant un ordre chronologique, signalons G. H. Graber, Uber Regression und Dreizahl, in *Imago*, 1923, IX (4), pp. 475-484; W. Fairbairn, The repression and the return of bad objects, in *Psychoanalytic studies of personality*, Londres, Tavistock, 2e éd., 1962; J. Macalpine et R. Hunter, Observations on the psychoanalytical theory of psychoneurosis : Freud's « A neurosis of demoniacal possession in the seventeenth century », *The British Journal of Medical Psychology*, 1954, XXVII (4), pp. 175-192; J. Macalpine et R. Hunter, *Schizophrenia 1677*, Londres, William Dawson, 1956; S. Nacht et P. C. Racamier, La théorie psychanalytique du délire, in *Rev. fr. Psychanal.*, t. 22 (4-5), pp. 417-532; G. Vandendriessche, *The parapraxis in the Haitzmann case of Sigmund Freud*, Paris, Pub. Béatrice Neuwelaerts, 1965; G. Vandendriessche, La bisexualité dans le cas Haitzmann, in *Rev. fr. Psychanal.*, 1975, t. 39 (5-6), pp. 99-112; G. Vandendriessche, Ambivalence et anti-ambivalence dans le cas Haitzmann de Freud, in *Rev. fr. Psychanal.*, 1978, t. 42 (5-6), pp. 1081-1088.

CHAPITRE XV

OSCILLATIONS IRRATIONNEL-RATIONNEL ET MAGIE-SCIENCE

— *L'occultisme*

Après son article sur la névrose démoniaque, fondamental pour la psychanalyse appliquée du diable élaborée par Freud, ce sujet s'estompe dans ses écrits.

Le thème diabolique est en quelque sorte remplacé par une tentation par l'irrationnel (représenté notamment par l'occultisme) que de grands efforts combattent et réussissent finalement à enrayer, en lui donnant une forme rationnellement acceptable (la télépathie).

Nous avons déjà signalé les raisons pour lesquelles nous estimons que l'occultisme entretient des liens avec le diable, à travers les esprits des morts devenus démons, les sentiments inquiétants qu'il évoque, l'abord de connaissances interdites et secrètes.

En fait, le renouveau de l'intérêt que Freud porte à l'occultisme resurgit (si toutefois il s'était réellement estompé) avant la publication du texte commenté précédemment. Peut-être même cette attirance favorisa-t-elle le désir d'écrire sur le diable. Toujours est-il que, le 24 juillet 1921, Freud écrit à Carrington, un des grands tenants de l'occultisme : « Si je me trouvais au début de ma carrière scientifique, au lieu d'être à sa fin, je ne choisirais peut-être pas d'autres domaines de recherches »[1]. Dans cette même lettre, il lui demande de ne pas mentionner son nom parce qu'il est profane, veut démar-

---

1. S. FREUD, *Correspondance 1873-1939*, Paris, Gallimard, 1966, Lettre 192, p. 364.

quer la psychanalyse de l'occulte et ne peut se débarrasser des préjugés du matérialisme sceptique. Ces phrases sont exemplaires des oscillations de Freud par rapport à ce sujet : simultanément il veut et ne veut pas aller au-delà de la science vers les connaissances interdites.

C'est en 1921 aussi que Freud lit à une réunion du « Comité » (ses disciples les plus proches) un article, « Psychanalyse et télépathie », qui ne sera publié qu'après sa mort, en 1941, et où les hésitations à propos de l'opportunité de sa publication, ainsi qu'une série de lapsus (oubli d'en apporter une partie à la réunion, oublis de phrases dites par les patients mentionnés ou par Freud lui-même au cours des épisodes relatés) montrent encore cette forte ambivalence.

Freud dit dans cet article qu'à peine la psychanalyse a-t-elle repoussé les attaques de ceux qui voulaient désavouer ses découvertes (Adler et Jung), un danger terrible se présente : l'occultisme, qu'il définit comme l'existence de forces autres que les forces humaines ou animales, ou qui révèlent la possession d'humains ou d'animaux par ces autres esprits[1]. Relevons les mots possession et forces autres.

Mais, tout de suite, Freud se reprend : il n'est pas certain que l'occultisme représente un danger terrible pour la psychanalyse. Car tous deux ont des points communs : ils sont l'objet du mépris de la science; la psychanalyse est considérée comme ayant, elle aussi, une saveur de mysticisme, son inconscient étant catalogué comme une de ces choses situées entre le ciel et la terre, que le philosophe refuse[2]. Soulignons que ce lieu est, pour la Gnose, que Freud connaît peut-être, celui des démons.

Alors, Freud, emporté par ces arguments, se demande si l'alliance entre la psychanalyse et l'occultisme ne serait pas prometteuse.

Cependant, arrivé là, les difficultés surgissent : les occultistes ne sont pas entraînés par un désir de connaissance, ce sont des croyants convaincus qui ne cherchent que des confirmations. Et leur foi est, ou bien la vieille croyance religieuse, ou bien une croyance plus proche encore de celle des primitifs (donc l'animisme, les démons...). Tandis que les psychanalystes, eux, ne peuvent répudier la science exacte, leur ancêtre[2]. Après toute cette ambivalence, Freud décide

---

1. S. Freud, Psychoanalyse und Telepathie, *GW*, XVII, p. 28.
2. *Ibid.*, p. 28.

que les psychanalystes, mécanicistes et matérialistes doivent cependant s'embarquer dans l'étude des phénomènes occultes, mais pour exclure définitivement les désirs de l'humanité de la réalité matérielle. Nous voyons là une rationalisation destinée à justifier son souhait de rapprochement.

L'ambivalence ne s'arrête pas là : cette différence d'attitude rend la coopération difficile, dit-il. Car deux dangers la menacent : l'un, subjectif, celui de permettre à l'intérêt d'être accaparé totalement par les phénomènes occultes; l'autre, objectif, celui que les phénomènes occultes soient confirmés et qu'il faille beaucoup de temps avant de construire une théorie qui les explique.

Freud semble convaincu de l'existence de ces phénomènes. Aux premières confirmations, les occultistes proclameront leur triomphe, dit-il, et un écroulement de la pensée scientifique s'ensuivra...[1]. Donc une véritable catastrophe, quelque chose de diabolique ?

Puis Freud expose ses cas cliniques, dans lesquels son pragmatisme triomphe, le conduisant à les expliquer tous par la transmission de pensée, phénomène qui n'est ni diabolique, ni catastrophique, ni lié à des forces non humaines. Quoiqu'une dernière phrase révèle encore son inquiétude à ce sujet : tout son matériau ne concerne que la transmission de pensée, mais ce premier pas peut être considéré comme celui de saint Denis : « Dans des cas pareils, ce n'est que le premier pas qui coûte »[2]. Il s'agit, évidemment, de saint Denis marchant avec sa tête sous le bras, métaphore de castration et de « perte de la tête ».

Un an après (1922), Freud écrit « Rêve et télépathie » (article cette fois publié tout de suite en allemand et en anglais)[3]. Il y examine le rapport entre événements télépathiques et rêves. Comme d'habitude en de pareilles circonstances, il déclare que lui-même n'a jamais eu de rêve télépathique et qu'il a eu bien des prémonitions, mais qu'aucune ne s'est réalisée. Plus : pendant vingt-sept ans de travail analytique, il n'a jamais observé chez ses patients un rêve vraiment télépathique[3]. Ce qui nous permet de nous demander pourquoi s'inté-

1. *Ibid.*, p. 29.
2. *Ibid.*, p. 44.
3. S. FREUD, Traum und Telepathie, *GW*, XIII, p. 167.

resser à des phénomènes jamais observés ni sur soi ni sur autrui. Ou bien l'observation existe, et elle est rejetée, ou bien l'intérêt qui lui est consacré provient de sources autres que l'expérience. Nous penchons pour la deuxième hypothèse, la source étant le penchant réprimé pour la mystique, l'interdit, l'animisme, tout cet univers dont le diable fait partie.

L'intérêt que Freud portait à la télépathie provoquait l'enthousiasme de Ferenczi (qui souhaitait s'engager beaucoup plus loin sur cette voie) et le mécontentement de Jones (qui rejetait tous ces phénomènes). Freud essaie de modérer Ferenczi. Ainsi, une fois, il le dissuade d'informer le prochain congrès psychanalytique de ses expériences télépathiques. Il lui dit : vous lanceriez une bombe sur l'édifice de la psychanalyse et cette bombe exploserait sûrement (lettre du 20 mars 1925, rapportée par Jones)[1].

Demandons-nous, encore, le pourquoi de ce caractère catastrophique. Est-ce la mort de la psychanalyse ? Le pacte avec le diable ? Aller au-delà de ce qui est permis, comme Faust ? Sans doute.

A la grande horreur de Jones, à la fin de l'année 1925, Freud publie encore, dans les *Collected Papers*, une traduction de « Rêve et télépathie » et, en même temps, dans les *Gesammelte Schriften*, un chapitre sur la signification occulte des rêves, où la télépathie est acceptée[2]. Il y déclare que les rêves télépathiques représentent une forme de transmission de pensée, autour de laquelle on peut rassembler des observations et des expériences personnelles[3]. C'est là la première affirmation publique que Freud fait sur ses expériences télépathiques personnelles (et qui dément les déclarations précédentes où il niait avoir vécu ou observé tout phénomène de ce genre).

Si nous nous interrogeons sur ce qui pousse Freud à ce moment à dévoiler cet autre aspect de lui-même, nous pouvons faire l'hypothèse que ce sont surtout ses « expériences réussies » dans la pratique de l'occultisme qui ont permis la mise en scène d'une identification au sorcier et amené une acceptation de l'irrationnel et un rejet, tout

---

1. E. Jones, *La vie et l' œuvre de Sigmund Freud*, t. 3, Paris, puf, 1969, p. 445.
2. S. Freud, Einige Nachträge zum Ganzen der Traumdeutung, *GW*, I, pp. 559-573.
3. *Ibid.*, p. 570.

au moins momentané, de la science. Quel est le rapport de ceci avec le diable ? Celui que le mauvais ange entretient avec les spectres, l'étrangement inquiétant et l'univers du magique. Peut-être que le fait d'avoir écrit longuement sur le diable — dans le texte sur la névrose démoniaque — a libéré Freud et provoqué une mise en avant de l'identification au sorcier en un champ moins inquiétant que celui de l'exorcisme des démons. Et l'honnêteté de Freud l'empêche de cacher cela.

Jones réagit avec indignation. Dans une circulaire adressée aux membres du Comité (1926), il se plaint de la conversion de Freud à l'occultisme.

Freud lui répond en exprimant ses regrets. Mais, dit-il, il était déjà favorable à la télépathie, bien que sa conviction ne fût pas assez solide et que la nécessité diplomatique de se taire s'imposât. A la suite de ses expériences avec Ferenczi et avec sa fille Anna, il est persuadé, ce qui fait que la diplomatie doit céder. Il répète ainsi, dit-il, la grande expérience de sa vie : proclamer une conviction sans s'inquiéter de l'écho du monde extérieur. Remarquons que Freud semble comparer l'importance de ses expériences télépathiques à celle de la découverte de la psychanalyse.

Il conseille à Jones de dire que sa conversion — il emploie bien ce mot — à la télépathie est une affaire à lui, personnelle, au même titre qu'être Juif, avoir une passion pour le tabac et bien d'autres choses[1]. Inutile de signaler qu'il touche là à des éléments essentiels de son identité et de sa jouissance, donc à deux composantes tout à fait fondamentales. L'occultisme est essentiel pour Freud à ce moment-là : il signifie l'acceptation de son identification au sorcier ou, peut-être, au possédé.

— *Une phase de lutte contre l'irrationnel*

Un mouvement de bascule s'établit pour réagir contre l'irrationnel et contre les domaines qui lui sont apparentés.

Dans *Inhibition, symptôme et angoisse* (1926), Freud définit le ça comme démoniaque. « Nombreuses sont les voix qui s'élèvent avec insistance pour mettre l'accent sur la faiblesse du moi vis-à-vis du

---

1. E. JONES, *La vie et l'œuvre de Sigmund Freud*, t. 3, Paris, PUF, 1969, p. 446.

ça, du rationnel vis-à-vis du démoniaque qui existe en nous; et de s'évertuer à faire de cette théorie un pilier d'une vision psychanalytique du monde. » Mais lui, dit-il, est hostile à la fabrication de visions du monde qu'il faut laisser aux philosophes[1].

Nous constatons que le ça est démoniaque, bien que ce terme ne fût pas utilisé dans *Le moi et le ça*. Ce démoniaque lié au chaudron qui, dans les *Nouvelles Conférences* représente le ça, renvoie à la sorcellerie, tout comme la pulsion de mort établie dans le ça évoque la « bombe » occultiste.

Freud, dans *Inhibition, symptôme et angoisse*, semble chercher un contrepoids à l'occultisme. Il fait l'éloge de la science : c'est elle qui a jeté un peu de lumière sur les énigmes de ce monde, le bavardage des philosophes n'y peut rien changer. Seul un travail patient, qui subordonne tout à l'exigence de certitude, peut modifier progressivement cet état de choses[2]. L'occultisme, tout à l'heure, n'était-il pas destiné à aider à déchiffrer les énigmes de ce monde ? Freud montre encore son ambivalence, cette fois dans un mouvement de bascule opposé.

Lou Salomé voit aussi dans ce texte une lutte contre la « démonie ». Dans une lettre à Freud, du 3 mai 1926, elle écrit, se référant au passage que nous venons de citer : « Et pourtant j'ai été prise de peur en ce point... parce qu'il m'avait semblé que l'on touchait là à des mailles qui, en tombant, pourraient laisser un trou dans le tissu de base. [Dans le poème dramatique de Lou Salomé que nous avons mentionné plus haut, *Le diable et sa grand-mère*, c'est de cette façon que l'âme de la jeune fille aimée par le diable déclenche sa propre destruction quand, en déchirant des décors illusoires pour se saisir à tout prix d'un petit morceau de vie réelle, elle provoque la colère de son amoureux infernal.] Mais je m'arrête ici bien vite : la peur s'est aussitôt évanouie. En parcourant à nouveau ce passage, je pense que vous avez voulu enrayer à temps l'invasion insistante de la « démonie » et de ses conceptions de l'univers; je suis d'accord avec vous »[3].

1. S. FREUD, *Inhibition, symptôme et angoisse*, Paris, PUF, 1973, p. 12; *GW*, XIV, p. 123.
2. *Ibid.*, p. 12; *GW*, p. 123.
3. L. ANDRÉAS-SALOMÉ, *Correspondance avec Sigmund Freud*, Paris, Gallimard, 1970, p. 202. (Entre crochets, commentaire de L. de U.)

Qu'ont-ils à craindre la démonie ? Il s'agit sans doute, en fait, de l'occultisme, qui est lié, au fond, au diable.

Cette préoccupation n'abandonne pas Lou Salomé. Le 14 juillet 1929, elle écrit à Freud que la lecture de l'article que Thomas Mann lui a consacré quelque temps auparavant l'a inquiétée : « L'idée qu'il se fait de vous est celle d'un penseur secrètement et par nature enclin au mysticisme et à tout ce qui est obscur et profond, en qui il admire avant tout le fait de s'être quand même opposé avec fermeté et ouvertement à tout ce qui est arriéré et de s'être voué au seul progrès. Il ne sait pas, ainsi que vous l'avez vous-même raconté, que non seulement vous aviez à l'origine des projets très différents de cette recherche des « ténèbres », mais, de plus, que de vous occuper en permanence de ces choses vous avait été souvent fatal et qu'il n'y a rien que vous détestiez plus franchement que le danger de voir l'objet de vos travaux apporter éventuellement à votre moulin les eaux de ceux que le mysticisme intéresse. Et ce qu'il ne sait pas non plus, c'est l'extraordinaire importance que devait prendre précisément cette circonstance dans la création de la psychanalyse, c'est-à-dire la circonstance qui a fait que ladite psychanalyse ait été créée par quelqu'un dont les goûts personnels étaient orientés tout autrement, qui n'acceptait que, pour ainsi dire, à contrecœur d'extraire des trouvailles d'abîmes aussi profonds et qui a étudié ces trouvailles avec d'autant plus de soin et de lucidité qu'il ne voulait pas les surestimer »[1].

Nous avons cité ce long passage afin de montrer la crainte (dé)niée de Lou Salomé de voir Freud sombrer dans la démonie et l'occultisme — dont le nom est censuré. Peut-être Thomas Mann avait-il en partie raison, car l'attirance pour la mystique et les ténèbres, comme nous le savons, existe bien chez Freud. Signalons aussi que Lou Salomé, qui imagine librement autour du diable, craint beaucoup pour Freud à ce sujet. Nous pensons que, justement, elle peut fantasmer sur le diable parce qu'elle n'y croit pas et n'a donc pas besoin de le refouler, tandis que, pour Freud, il s'agit d'un ensemble de représentations refoulées qui, dans l'occultisme et la superstition, font retour.

1. *Ibid.*, pp. 202-203.

— Mais parfois Freud se déclare magicien

Dans *Psychanalyse et médecine* (1926), la balance penche vers la magie, donc à nouveau vers l'irrationnel. C'est un article écrit à propos du procès intenté contre Reik pour exercice illégal de la médecine.

Freud explique à son interlocuteur supposé, la Personne impartiale, en quoi consiste l'analyse : il ne se passe rien entre l'analyste et le patient, sauf qu'ils se parlent. Freud imagine le mépris de la Personne impartiale qui penserait, comme Hamlet « des mots, des mots, des mots ». Elle songerait aussi au discours moqueur de Méphistophélès sur la facilité avec laquelle on se débrouille avec les mots et dirait que c'est bien là une sorte de magie, car l'analyste parle et les souffrances s'évanouissent[1].

Remarquons que la définition de la guérison par les mots est celle que le *Malleus Maleficarum*, ouvrage que Freud avait étudié avec ardeur, propose pour la sorcellerie. Signalons aussi que ce n'est pas pour rien que Méphistophélès apparaît, car l'allusion à son discours concerne les paroles par lesquelles, au cours de la scène si souvent citée du « Cabinet de travail », il se moque de la science. S'agit-il d'une voix exprimée en sourdine par Freud ?

Freud répond à la Personne impartiale que ce serait de la magie si le travail se faisait plus rapidement, mais qu'il faut des mois et des années et qu'une pratique magique aussi longue perd son caractère miraculeux[2].

Cet argument nous semble faible, puisque le facteur temps n'est pas retenu dans les définitions courantes de la magie. Ni Lalande[3], ni Littré[4], ni Robert[5] n'en parlent. Ils sont tous d'accord, à des différences de formulation près, pour définir la magie comme l'art de produire, par des procédés occultes, des phénomènes sortant du

1. S. FREUD, Psychanalyse et médecine, in *Ma vie et la psychanalyse*, Paris, Gallimard, 1950, p. 100; *GW*, XIV, p. 214.
2. *Ibid.*, p. 100; *GW*, p. 214.
3. A. LALANDE, *Vocabulaire technique et critique de la philosophie*, Paris, PUF, 1968, pp. 588-589.
4. P.-E. LITTRÉ, *Dictionnaire de la langue française*, Enc. Britannica Inc., Chicago, 1974, t. 3, p. 3630.
5. P. ROBERT, *Dictionnaire alphabétique et analogique de la langue française*, Paris, Dictionnaire Le Robert, 1978, t. 4, p. 193.

cours ordinaire de la nature. Nous pouvons donc supposer que Freud s'admet magicien, mais magicien qui pratique un art dont les effets se révèlent lentement.

Il ajoute, confirmant ainsi notre hypothèse, que *Im Anfang war die Tat* (Au commencement était l'action)[1], mais qu'originellement la parole était un acte magique et qu'elle a gardé beaucoup de son pouvoir.

Plus loin, parlant de l'hypnotisme, et tout de suite après des références à l'occultisme, Freud rappelle que, quand il enseignait la neuropathologie — c'est-à-dire quand il pratiquait l'hypnotisme, précisons-le —, les médecins étaient passionnément opposés à l'hypnotisme, qu'ils monopolisent à présent, et déclaraient que c'était là un art du diable[2]. Freud admet donc avoir pratiqué un art du diable, bien qu'il attribue cette désignation à d'autres.

Précédemment, il s'était déclaré sorcier. Ce serait folie, disait-il, d'essayer d'échapper au problème en supprimant ou en négligeant le transfert. Renvoyer le patient aussitôt que les inconvénients de la névrose de transfert apparaissent ne serait pas plus raisonnable, ce serait même faire preuve d'un manque de courage. Cela représenterait l'équivalent de conjurer les esprits puis de prendre la fuite quand ils apparaissent. Parfois, il n'y a rien d'autre à faire, mais on aura au moins lutté avec les mauvais esprits de toutes ses forces[3][4].

Peut-être que cette affaire d'exercice illégal de la médecine et les réflexions qu'elle provoqua chez Freud le poussèrent à ne plus se poser en médecin, à se sentir moins solidaire de la science et donc plus libre pour se placer du côté du sorcier.

L'identification au sorcier, au conjurateur des mauvais esprits et à Faust, comme nous l'avons rappelé maintes fois, ne cesse de circuler dans tout l'œuvre de Freud. *Il se sent sorcier ; les mauvais esprits qu'il conjure sont l'inconscient de ses patients et, notamment, leur transfert, donc la répétition, et surtout la répétition de l'amour incestueux et des expériences néfastes du passé.*

1. GOETHE, *Faust*, Paris, Aubier-Montaigne, 1976, p. 41.
2. S. FREUD, Psychanalyse et médecine, in *Ma vie et la psychanalyse*, Paris, Gallimard, 1950, p. 167 ; *GW*, XIV, p. 271.
3. *Ibid.*, p. 153 ; *GW*, p. 259.
4. Il s'agit de la même métaphore citée ci-dessus p. 93 à propos de « Observations sur l'amour de transfert ».

— *Cependant la raison reprend ses droits*

Dans *L'avenir d'une illusion* (1927), Freud se montre à nouveau en un moment de grande importance attribuée à la raison. « Il n'est pas d'instance au-dessus de la raison »[1]. Les doctrines religieuses sont des illusions, des croyances motivées de façon privilégiée par un désir et qui ont renoncé à être confirmées par le réel. « Le travail scientifique est le seul chemin qui puisse nous mener à la connaissance de la réalité extérieure »[2].

Jusqu'ici, rien qui soit susceptible de nous étonner ni qui diffère de ce que Freud a toujours dit, mais ensuite, il fait observer à son interlocuteur imaginaire (sans doute Pfister) que c'est bien surprenant que lui, Freud, qui a toujours souligné combien, dans la vie de l'homme, l'intelligence reste au second plan par rapport à la vie instinctive, s'efforce d'enlever aux hommes une précieuse satisfaction de leurs désirs et cherche à les en dédommager par une pitance intellectuelle[3]. La satisfaction des désirs c'est l'illusion religieuse, tandis que la pitance intellectuelle, c'est la raison. Nous pensons que, là, Freud se fait lui-même une objection tout à fait pertinente, qu'il devait s'adresser depuis longtemps, non pas au sujet des religions établies, mais par rapport à l'occultisme.

Mais la réponse qu'il fournit est tout à fait frappante. Il déclare que son entreprise est inoffensive et sans périls, car aucun danger ne guette le dévot qui lirait son texte : il ne s'arracherait certainement pas à sa foi. Cette publication ne peut nuire qu'à lui-même. « Cependant, quand on s'est précisément fait l'avocat du renoncement aux désirs et de l'acquiescement à la destinée, il faut savoir encore souffrir ce dommage »[4].

Nous ne savions pas que Freud fût l'avocat du renoncement aux désirs, de ce qu'on pourrait appeler un abandon de la vie, car il s'était toujours présenté comme l'avocat du non-refoulement. Après la levée de celui-ci, on n'est sans doute pas obligé de vouloir réaliser l'ancien désir, on peut l'abandonner parce que périmé ou y renoncer

1. S. Freud, *L'avenir d'une illusion*, Paris, puf, 1976, p. 39; *GW*, XIV, p. 350.
2. *Ibid.*, p. 45; *GW*, p. 354.
3. *Ibid.*, p. 51; *GW*, p. 358.
4. *Ibid.*, p. 52; *GW*, p. 359.

parce que la réalité extérieure ou les idéaux le rendent nécessaire, mais on est aussi en droit de le satisfaire. En tout cas, c'est sûr que jusqu'à présent la psychanalyse n'apparaissait pas comme une entreprise de renoncement au désir et d'acquiescement à la destinée. C'est plutôt une certaine religion chrétienne qui adopterait ce point de vue.

Pourquoi Freud dit-il cela ? Sans doute que l'âge, les malheurs, le cancer... ou une formation réactionnelle face à l'identification au sorcier peuvent expliquer cette affirmation.

Un peu plus loin, Freud amorce un tournant. Après avoir rejeté les croyances religieuses parce qu'elles sont illusoires, il présente son propre mythe, comme étant, lui, scientifique.

Il s'agit, naturellement, du meurtre du père primitif, de la réaction affective que cet acte engendra et de sa conséquence, le commandement : « Tu ne tueras point. » Ce père primitif fut le prototype de Dieu. Les hommes se débarrassèrent de lui par la violence, puis, en réaction contre leur acte criminel, ils décidèrent de respecter dorénavant sa volonté[1].

C'est difficile, dans ce contexte, de concevoir le mythe de Freud autrement que comme un désir de faire revenir l'irrationnel de là d'où il a voulu le chasser. Ce désir n'est pas nécessairement voulu consciemment, car la dernière phrase du texte a l'allure d'une (dé)négation : « Non, notre science n'est pas une illusion. » L'illusion serait celle de croire que nous puissions trouver ailleurs ce qu'elle ne peut nous donner[2].

Freud se parle-t-il à lui-même ? Dans cet article on peut percevoir le tiraillement entre science et irrationnel; d'un côté, ce qu'il dit de la raison, de l'autre le mythe qu'il crée.

Ce désir d'illusion nous rassure après la phrase pessimiste, mentionnée plus haut, concernant le renoncement aux désirs et l'acquiescement à la destinée.

— *Retour du diable*

Il n'y a pas de Dieu. Il n'y a rien si ce n'est un destin vaguement personnifié, plutôt producteur de détresse et un père primitif déifié,

1. *Ibid.*, p. 60; *GW*, p. 366.
2. *Ibid.*, p. 80; *GW*, p. 380.

plutôt diabolique (comme nous l'avons souvent remarqué et comme Freud finit par le reconnaître dans le texte sur la névrose démoniaque)[1] qui, lui, incarne le mythe créé par Freud pour situer l'origine de la morale.

La raison est-elle bien souveraine ici ? Cette situation ne rappelle-t-elle pas la religion du diable de la lettre 57 à Fliess[2] ?

C'est ainsi que semble le comprendre Pfister quand, le 24 novembre 1927, il écrit à Freud au sujet de cet article : « Je ne comprends pas très bien votre image de la vie. Il est impossible que ce que vous refusez comme étant la fin de l'illusion et ce que vous prônez comme le seul fond véritable soit tout. Ce monde sans temple, sans art, sans poésie, sans religion, est à mes yeux une île du diable, sur laquelle seul un Satan et non le hasard aveugle a pu précipiter les hommes »[3].

---

1. Ci-dessus p. 144.
2. Cf. plus haut pp. 34-36.
3. S. FREUD, *Correspondance avec le Pasteur Pfister*, Paris, Gallimard, 1966, pp. 167-171.

CHAPITRE XVI

LA SORCIÈRE

La sorcière, créature et partenaire du diable, femme savante, puissante, mystérieuse et redoutable, avait eu sa place dans les pensées et les fantasmes de Freud au moment de son auto-analyse[1]. Par la suite, elle revient de temps en temps dans des citations de la scène de la « Cuisine de la sorcière » du *Faust* et, parfois, dans des citations du début de *Macbeth*. Mais ce n'est que dans ses derniers écrits que Freud lui redonne toute son importance.

La sorcière commence à apparaître, par petites touches, dans les *Nouvelles Conférences sur la psychanalyse* (1932). Ainsi, évoquant Adler et ses explications uniformes pour tout, Freud propose une anecdote : un médecin de sa ville natale — Freiberg, donc — lui raconta comment se déroulait sa consultation. Les malades, des paysans, formaient une ronde autour de lui, puis en sortaient l'un après l'autre et décrivaient leurs maux. Le médecin les examinait et formulait son diagnostic, toujours le même, qui signifiait approximativement « ensorcelé ». Freud demanda pourquoi les paysans ne se plaignaient pas de ce diagnostic toujours semblable. Mais non, répondit le médecin, c'était ce à quoi ils s'attendaient[2].

Cette anecdote nous permet de déduire que la sorcellerie était

---

1. Ci-dessus chap. V.
2. S. FREUD, *Nouvelles Conférences sur la psychanalyse*, Paris, Gallimard, 1975, pp. 185-186; *GW*, XV, pp. 151-152.

sans doute bien développée à Freiberg lors de la petite enfance de Freud, qui semble attribuer à Adler une complicité avec la sorcellerie. S'agit-il d'une projection ?

Plus loin, il nous propose une autre anecdote. C'est à propos des états psychotiques ou narcissiques, plus ou moins inappropriés pour l'analyse, et de la difficulté de les diagnostiquer autrement qu'après coup. La situation est la même que celle du roi écossais décrit par Victor Hugo qui, pour savoir si une femme était sorcière ou non, la faisait bouillir puis goûtait le bouillon, sur le goût duquel il établissait son diagnostic[1]; Strachey signale, dans une note au texte de Freud, qu'il n'a pas pu retrouver cet exemple dans Victor Hugo[2]. Nous pouvons supposer que, comme d'habitude, Strachey a cherché très consciencieusement et qu'il s'agit donc d'une paramnésie ou d'un lapsus de Freud. Nous le considérons comme signe que la représentation de la sorcière chemine dans son esprit, peut-être à la suite de l'article de 1931 sur « La sexualité féminine », désignée comme « continent noir », où il avait, de façon beaucoup plus explicite que dans les *Trois Essais*, décrit la mère comme la première séductrice de l'enfant par les soins qu'elle lui donne. Ceci aurait évoqué chez Freud les conflits de son enfance avec sa mère et avec celle que nous avons appelée sa bonne-sorcière. Peut-être qu'après avoir décrit le diable comme père Freud se sent enclin à s'approcher de la sorcière, comme cela lui arriva pendant l'auto-analyse quand il régressa du père à la bonne et, par équivalence, du diable à la sorcière.

Mais c'est quelques années après que la sorcière « triomphe ». Dans « Analyse terminée et analyse interminable » (1937), Freud explique que trois facteurs contribuent au succès ou à l'échec du traitement psychanalytique : l'influence des traumatismes, la force constitutive des pulsions et les altérations du moi.

Quant au deuxième facteur, il faut arriver, en quelque sorte, à apprivoiser les pulsions, afin qu'elles puissent s'harmoniser avec le moi et ne cherchent plus leur satisfaction de façon indépendante. « Si on nous demande par quelles méthodes et par quels moyens ce résultat est obtenu, il n'est pas facile de trouver une réponse.

---

1. *Ibid.*, pp. 204-205; *GW*, p. 167.
2. J. STRACHEY, *SE*, XXI, p. 155.

Nous pouvons dire seulement : *So muss denn doch die Hexe dran !*[1] — la sorcière Métapsychologie. Sans spéculation métapsychologique et sans théorisation — j'allais presque dire sans fantasmes —, nous n'avancerons pas d'un pas. Malheureusement, ici comme ailleurs, ce que notre sorcière nous révèle n'est ni très clair ni très détaillé »[2].

Que peut faire une sorcière pour dompter les pulsions ? Tout, sans doute, en commençant par les satisfaire, puisque dans la scène citée, la sorcière, à l'aide d'un breuvage magique, rajeunit Faust, afin qu'il puisse goûter à tous les plaisirs de la vie.

Freud croit que, pour réussir la conduite d'une analyse il faut être une sorcière. Nous retrouvons là son identification à la bonne-sorcière, à Charcot, à Fliess, à Faust, à Méphistophélès, au diable... La conduite d'une psychanalyse n'est pas chose naturelle, mais magie, œuvre d'une sorcière, servante du diable. Mais pourquoi d'une sorcière et pas d'un sorcier ou d'un magicien ? Peut-être s'agit-il enfin de la reconnaissance par Freud du lien féminin, homosexuel, qui lie le possédé-sorcier au diable-père (en général, et pas seulement dans le cas particulier de Christopher Haitzmann, qui, du reste, n'est pas sorcier). Il s'agit d'une acceptation de la féminité par le biais de la magie, qui serait le pouvoir que le diable accorde à la suite du pacte de soumission à lui, marque de la réussite de sa séduction[3].

Cette identification à la sorcière et au diable persiste tout au long de cet article. Car Freud, plus loin, parle du « pacte » que l'analyste fait avec le moi du patient pour vaincre les parties incontrôlées

---

1. GŒTHE, *Faust*, Paris, Aubier-Montaigne, 1976, p. 77. « Il ne reste qu'à en passer par la sorcière. »

2. S. FREUD, Analyse terminée et analyse interminable, in *Rev. fr. Psychanal.*, 1939, *II* (1), 3-38 ; *GW*, XVI, p. 69.

3. Ce sont des questions que se pose aussi Gillibert à propos de cette phrase de Freud. Il se demande si elle signifie que Freud pactise avec le diable, qu'il devient ensorcelé, qu'il commet l'inceste dans l'impensé d'un fantasme inconscient. Et il rappelle la quête de Freud d'un principe paternel intelligible qui vienne le sauver du sensible maternel. Freud, dit-il, est un homme faustien, un homme d'inceste, mais qui veut y voir clair. Il est pusillanime sur ce sujet, d'autres ont osé s'avancer davantage là (J. GILLIBERT, La sorcière (métapsychologique), in *Rev. fr. Psychanal.*, t. XL (1), pp. 195-213).

Monique Schneider a récemment écrit sur le rapport de la technique de Freud avec l'exorcisme et/ou la magie un travail très intéressant (M. SCHNEIDER, *Le féminin expurgé*, Paris, Retz, 1979).

de son ça. Le mot « pacte » vient s'inscrire ici parmi ces signes d'identification.

L'analogie entre la psychanalyse et la magie reparaît dans un autre passage quand, à propos de sa théorie des pulsions, Freud fait l'éloge d'Empédocle, chercheur, prophète, magicien, médecin, qu'il compare à Faust « à qui bien des secrets furent révélés »[1]. C'est évidemment de lui-même que Freud parle là, puisque tous ces qualificatifs lui conviennent. Mais remarquons qu'il ne se dit plus une sorcière; le magicien et Faust sont venus à la place de celle-ci. Freud ne peut supporter longtemps une identification féminine.

L'idée du pacte continue encore dans l'*Abrégé de psychanalyse* (1940). Ainsi, Freud dit : « Notre savoir compense son ignorance [du patient] et permet au moi de récupérer et de gouverner les domaines perdus de son psychisme »[2]. Et encore : « Voici donc conclu notre pacte avec les névroses : sincérité totale contre discrétion absolue »[3].

Nous croyons qu'il s'agit là d'une adaptation du pacte de séduction diabolique : jouissance totale et pouvoir sur terre contre la remise de l'âme et du corps dans l'au-delà. C'est le patient qui est possédé et c'est Freud qui est le diable séducteur. Des promesses fantasmées de plaisirs merveilleux peuvent bien se cacher derrière la « discrétion absolue ».

---

1. *Ibid.*, *GW*, p. 80.
2. S. FREUD, *Abrégé de psychanalyse*, Paris, PUF, 1975, p. 40; *GW*, XVII, p. 98.
3. *Ibid.*, p. 41; *GW*, p. 99.

CONCLUSION

Freud s'est occupé du diable tout au long de son œuvre, de ses interventions publiques, de sa correspondance. Quoique pas toujours de façon consciente, il était concerné par ce « personnage » qui tenait une place importante dans sa pensée et dans ses fantasmes. Comme nous l'avons montré tout au long de notre parcours, il a formulé, de façon non systématique, une psychanalyse appliquée du diable.

Cette psychanalyse appliquée est cohérente et se centre autour de deux thèmes ou courants de pensée principaux coexistants et d'importance semblable. Pour le premier, le diable est d'abord une métaphore de la contre-volonté, puis de l'inconscient, ensuite des pulsions refoulées et enfin de la pulsion de mort. Pour le deuxième courant, qui est souvent refoulé ou réprimé, le diable est un représentant du père. Ce thème se fait jour dès avant l'auto-analyse, est ensuite plus ou moins scotomisé et ne s'affirme pleinement que dans « Une névrose démoniaque au XVIIᵉ siècle ».

Nous considérerons d'abord ces deux courants séparément, pour ensuite essayer d'établir leurs relations.

LE DIABLE = LES PULSIONS

Selon les moments de la pensée de Freud, ce thème prend plusieurs formes.

— Le diable = la contre-volonté

C'est sous cet aspect que le premier courant interprétatif commence, très tôt (1892-1893), son cheminement dans l'esprit de Freud. La contre-volonté apparaît comme responsable du caractère diabolique exhibé si souvent par l'hystérie, quand les patients ne peuvent faire ce qu'ils souhaitent et se sentent obligés d'agir à l'opposé de leur volonté. A l'origine de ce phénomène, se trouve la suppression préalable de certaines représentations qui, faisant retour, se manifestent sous la forme d'une contre-volonté apparemment étrangère au sujet, qui le contraint d'une façon analogue à celle caractéristique de la possession démoniaque. Inconscient désigne ici l'état des représentations en question, mais son sens n'est pas précisé. Freud n'a pas encore découvert pleinement l'inconscient, mais il le décrit déjà comme analogue au diable (possession, caractère étranger au sujet, contrainte).

— Le diable = l'inconscient

Cette formulation, qui reprend la précédente, est exprimée pour la première fois dans l'article nécrologique sur Charcot : il n'y a qu'à échanger le démon de l'imagination cléricale par le langage scientifique de nos jours et à remplacer le diable par la formule psychologique de l'inconscient. Aucune variation ici par rapport à l'énonciation précédente, si ce n'est que l'inconscient surgit à la place de la contre-volonté. Il s'agit toujours de l'inconscient ressenti comme étranger et tout-puissant, tel le diable du temps des grandes épidémies de sorcellerie.

— Le diable = les pulsions refoulées

Plus tard, Freud met le diable en rapport avec les pulsions refoulées dans l'inconscient. Il n'y a pas de changement en ce qui concerne la signification du diable, c'est la théorie de l'inconscient qui s'est développée.

Nous retrouvons cette interprétation notamment dans « Caractère et érotisme anal » (1908) et dans l'intervention à la Conférence de Heller sur l'*Histoire du diable* (1909). Elle ne disparaît jamais de la pensée de Freud et revient périodiquement depuis *L'interprétation des rêves* jusqu'à « Une névrose démoniaque au XVIIe siècle », en passant par *Totem et tabou.*

Mais quelle est la signification de dire que le diable, c'est les pulsions refoulées ? Il s'agit, à première vue, d'une métaphore, d'une transposition comparative d'un ordre de réalité dans un autre[1]; dans le cas présent, de l'ordre de réalité des représentants de la pulsion refoulée à celui des figurations mythologiques fournies par l'univers culturel. L'angoisse corrélative des pulsions refoulées s'attache à la métaphore effrayante d'un être mauvais, dangereux et très puissant.

Cependant, un problème se pose : *qu'est-ce qui métaphorise quoi ?* Car on peut aussi bien considérer le diable comme métaphore de la sexualité refoulée (il est, comme elle, angoissant, contraignant, enfermé) que la sexualité refoulée comme métaphore du diable (elle est, comme lui, inacceptable, rejetée, reléguée). Freud semble pencher parfois dans un sens, parfois dans l'autre, et ne tranche pas.

Nous pouvons avancer l'hypothèse d'une relation circulaire, d'un mouvement de symbolisation où symbolisant et symbolisé ne sont pas fixes. Dans ce cas, on ne peut appeler ce procédé de Freud métaphore, puisque les rapports de ressemblance indiqués par ce terme s'accompagnent ici de liens simultanés de contiguïté, plus proches de la métonymie. Nous résoudrons ce problème en adoptant le terme de Laplanche de métabole, qui inclut à la fois métaphore et métonymie[2]. Ces métaboles, dit Laplanche, sont prêtes à renaître à chaque instant[3]; cela correspond fort bien avec ce qui se passe dans l'esprit de Freud où le diable surgit de diverses façons et à de nombreux moments à la place des pulsions refoulées et, *vice versa*, les pulsions refoulées apparaissent sous les traits du diable ou de Méphistophélès.

Qu'est-ce qui évoquerait mieux que le diable, « personnage » mauvais et angoissant par excellence, l'effraction du moi par son propre désir, par sa pulsion, ainsi que l'angoisse liée à ce fait[4] ? Le diable figure on ne peut mieux l'angoisse en tant qu'aspect inconci-

---

1. J. LAPLANCHE, *Problématiques*, I : *L'angoisse*, Paris, PUF, 1980, p. 280.
2. J. LAPLANCHE, *Problématiques*, II : *Castration, Symbolisations*, Paris, PUF, 1981, pp. 135-136.
3. *Ibid.*, p. 138.
4. J. LAPLANCHE, *Problématiques*, I : *L'angoisse*, Paris, PUF, 1980, p. 133.

liable avec le moi de tout désir ou de tout reliquat de celui-ci[1]. Et, tout aussi bien, l'attaque interne de la pulsion (que Laplanche appelle démoniaque)[2] peut être représentée par le diable.

L'interdit au cœur de la pulsion[3] s'accorde avec le diable qui tente et séduit, mais finira toujours par conduire en enfer.

Et encore le diable, comme une formation de compromis, se prête à représenter la sexualité refoulée et son châtiment : promesses violées, séduction qui débouche sur la frustration, feu, appel à tous les sens sous forme négative — odeurs, bruits, couleurs trop éclatantes ou très sombres. On retrouve chez le diable et ses agissements l'activation de toutes les composantes refoulées de la sexualité.

La sexualité est le refoulé par excellence et le diable, l'exclu fondamental, est bien placé soit pour la représenter, soit pour se laisser représenter par elle.

— *Le diable = la pulsion de mort*

Quand approche la deuxième topique où surgit le ça, sa marmite et son chaos bouillonnant, le diable se lie, sous forme de métabole aussi, à la pulsion de mort. Dès l' « Inquiétante étrangeté », la répétition, prélude à la découverte de la pulsion de mort, est qualifiée par Freud de démoniaque (en un sens proche de celui de la contre-volonté, puisqu'elle s'impose au sujet apparemment de l'extérieur et semble le posséder). A partir de « Considérations sur la guerre et la mort » et de l'*Introduction à la psychanalyse* et, surtout, d' « Au-delà du principe de plaisir » et jusqu'à *Malaise dans la civilisation*, le diable apparaît lié à la mort. Cela n'étonne pas étant donné les caractères attribués au diable dans les religions et dans la pensée populaire. Ce qui est plutôt surprenant c'est que cette relation ne soit pas apparue avant dans la pensée de Freud.

La mort est une métabole du diable : songeons au mal, au meurtre, à l'enfer, au Jugement, tous évocateurs de la mort. *Vice versa*, le diable est une figuration de la mort tout aussi évidente : il peut

---

1. *Ibid.*, p. 152.
2. *Ibid.*, p. 137.
3. J. LAPLANCHE, *Problématiques*, II : *Castration, Symbolisations*, Paris, PUF, 1980, p. 145.

lui-même tuer, emporter les âmes, les passer sur le fleuve qui entoure les enfers, les conduire au lieu des tourments, les torturer enfin. Une représentation renvoie à l'autre.

Le diable, métabole des pulsions sexuelles refoulées, garde ce même rôle par rapport à la mort et à la pulsion de mort. Il se sépare ainsi de son lien au plaisir interdit pour s'attacher à la pulsion qui ne tient pas compte du plaisir, mais cherche la destruction et l'anéantissement. Le diable, représentant des pulsions inconscientes refoulées, garde ce même rôle quand le contenu inconscient est devenu autre.

Y verrons-nous une contradiction dans l'esprit de Freud qui représenterait par le diable aussi bien le sexuel refoulé que son opposé dans la théorie des pulsions de 1920, la pulsion de mort ? Le diable serait-il, pour Freud, une représentation capable, par le biais de la métabole, d'accueillir n'importe quoi ? La difficulté disparaît si nous adoptons le point de vue de Laplanche, qui assimile l'énergie libre à la pulsion de mort et l'énergie liée à la pulsion de vie[1] et considère que l' « opposition fondamentale se situe entre lié et non lié »[2], parce que « ces deux thèses, celle de la permanence de la pulsion de mort et celle de l'inconciliabilité du désir sexuel, n'en font qu'une seule, la pulsion de mort étant finalement l'expression théorique des aspects irréductibles, irrécupérables, non dialectisables, de la pulsion sexuelle »[3]. Si bien que, finalement, « la vérité de la sexualité, c'est la pulsion de mort »[4].

Si nous souscrivons à ce point de vue, nous pouvons considérer que le diable métabolise ces deux versants pulsionnels (pulsion sexuelle refoulée, pulsion de mort) parce qu'il signifie surtout l'attaque interne de la pulsion, que l'énergie de celle-ci soit liée ou pas, et surtout si elle ne l'est pas. Dans ce sens, le fantasme de pacte avec le diable est, peut-être, l'expression d'un effort pour lier l'énergie libre, la pulsion de mort, tout au moins pendant un laps de temps déterminé ou, mieux encore, jusqu'à la fin de la vie terrestre[5].

1. J. LAPLANCHE, *Problématiques*, III : *La sublimation*, Paris, PUF, 1980, p. 136.
2. *Ibid.*, p. 158.
3. *Ibid.*, p. 172.
4. J. LAPLANCHE, *Problématiques*, IV : *L'inconscient et le ça*, Paris, PUF, 1981, p. 128.
5. Suggestion de J. Laplanche.

A chaque moment de l'évolution de sa pensée, Freud représente par le diable ce qui est le plus inconciliable avec le moi.

Le diable-pulsion de mort fit son entrée avec Rank, dans « Le double » (1914) et Freud l'adopta à sa suite, l'identifiant au principe destructeur de la vie personnifié par Méphistophélès. Comme Freud avait souvent cité les paroles de celui-ci avant 1914, on peut supposer que cette métabole se trouvait déjà esquissée de façon réprimée dans sa pensée.

Le diable-pulsion de mort (qui souffre de l'enfer avant même d'en faire souffrir les damnés) peut aussi être considéré comme représentant le masochisme primaire, état où la pulsion de mort, avant de se diriger vers le monde extérieur, est encore tournée vers le sujet et se trouve liée à la sexualité. Peut-être s'agit-il ici de la métabole du diable la plus semblable à son image mythique.

LE DIABLE = LE PÈRE

Ce courant interprétatif commence à se faire jour très tôt mais, à la différence du précédent, après une première apparition très claire, il butte chez Freud contre des barrages, et cela pendant quelque vingt-cinq ans.

Les lettres 56 et 57 à Fliess indiquent l'apparition de ce thème et montrent sa grande importance. C'est là qu'entre en scène le diable comme centre du culte des religions primitives, maître des sorcières, grand seigneur, séducteur pervers des créatures humaines et introducteur de la sexualité et de la perversité dans le monde. Cette image coïncide avec les représentations que les religions offrent du diable; son caractère paternel est indiqué « le père qui consent à s'abaisser jusqu'au niveau de l'enfant »[1], mais pas désigné nommément, bien que ce soit l'époque où Freud recherche particulièrement, chez ses patientes hystériques, le traumatisme de la séduction sexuelle par le père (ce que la lettre 56 ne manque pas d'insinuer en parlant du diable « qui fornique d'horrible façon avec ses vic-

1. S. Freud, *La naissance de la psychanalyse*, Paris, puf, 1973, p. 168; *Aus den Anfängen der Psychoanalyse*, Londres, Imago, 1975, p. 164.

times »[1]. L'aveu, dans la psychanalyse de ce temps, de la séduction par le père était une nouvelle façon de retrouver la marque diabolique, signe du pacte. Il s'agit d'une forme extrême du fantasme de séduction : remettre au père son corps et son âme, pour qu'il en dispose selon son bon plaisir et pour l'éternité.

Le diable est donc, à ce moment-là (1897), pour Freud, le père, mais quel père ? Car l'Œdipe n'est pas encore découvert, ni les pulsions sexuelles originées dans l'individu sans que la sexualité soit introduite de l'extérieur. Il s'agit d'un père archaïque par rapport à la pensée de Freud, un introducteur pervers de la sexualité, un être aux pulsions débordantes, mauvaises, sans limites ni interdictions. Il semble bien se situer comme un tiers dans le rapport à la sorcière (pas de relation duelle entre lui et l'enfant ou entre l'enfant et la sorcière), qu'il possède et qui, au cours de l'auto-analyse, deviendra la bonne chargée du jeune Sigismund qui jouait face à lui un rôle maternel ou plutôt féminin, sexuellement excitant. Mais, malgré cela, la sorcière (la bonne) n'apparaît pas comme interdite; au contraire, le petit Freud noue avec elle des rapports érotiques à peine déguisés, bien que, dans ses fantasmes, elle se dessine comme la partenaire du père. Il y a donc un triangle, dans lequel le père-diable domine, mais n'interdit ni la mère-sorcière à l'enfant, ni ne s'interdit l'enfant à lui-même, puisqu'il le séduit (le vol des enfants, les patientes séduites). Du reste, ce n'est pas sûr que la sorcière ne soit pas la fille incestueuse du diable, comme il apparut tout au moins dans les lettres 56 et 57 et dans le *Malleus maleficarum* auquel Freud s'intéresse à ce moment. Le père pervers se permet tout et n'interdit pas.

Ce faux père, séducteur, pervers, sans loi, coïncide fort bien avec l'image populaire du diable, capable de tous les méfaits, menteur et séducteur, qui ne saurait imposer une loi, car il est par excellence celui qui enfreint la loi de Dieu. Tout au plus, pourrait-il établir une anti-loi, une contre-loi, copie inversée de celle de Dieu (sabbats, messes à l'envers...).

Dans l'auto-analyse, le père est rapidement innocenté et remplacé, quant à la responsabilité de la séduction, par la bonne-sorcière,

---

1. *Ibid.*, p. 163; *ibid.*, p. 162.

déclarée *Urheberin* de la névrose de Freud, au contraire de ce qu'il découvrait jusque-là chez ses patientes (et aussi de ce qui apparaîtra ensuite chez Dora, l' « Homme aux rats », Schreber, l' « Homme aux loups », etc.).

Cette *Urheberin* est-elle une représentante de la mère séductrice, apparue par régression après l'analyse de l'image du père, ou bien est-ce le diable-père qui se cache derrière elle, ou bien est-elle unie au diable ? Dans ce dernier cas, elle serait un personnage mixte, comme le parent combiné de Melanie Klein. Elle aurait incorporé, pendant le coït, le pénis diabolique paternel et en jouirait continuellement, devenant ainsi, comme le diable, un objet anxiogène par excellence. Nous pensons que cette sorcière (mauvaise et non bonne), combinée au pénis du diable (mauvais aussi), vient, dans un mouvement régressif, à la place du diable-père pervers, ou, plutôt, se cache derrière lui et surgit quand une phase régressive s'installe.

Il se peut que, lorsque Freud insiste sur la masculinité du diable (dans ses commentaires à la conférence de Heller et dans son article sur la névrose démoniaque), en plus du désir de délivrer le père de toute féminité et le lien avec lui de tout caractère homosexuel, il veut (dé)nier l'existence en arrière-plan de ce parent combiné.

A propos de Schreber, Freud a scotomisé le rôle du diable et, par là, le désir masochiste et homosexuel passif de se laisser séduire en signant un pacte, puis de se remettre à lui corps et âme. Ainsi apparaît un rejet du diable-père, castrateur non pas au nom d'une loi, mais obéissant à son bon plaisir, à son sadisme et à son désir homosexuel.

Dans *Totem et tabou*, Freud affirme que le démon est le parent haï, puis tué. Cependant, il ne parle, à ce propos, ni de diable, ni de père, bien que cela soit implicite. Ce père assassiné parce que haï, égoïste, indifférent à ses fils et possesseur de la mère, n'est pas semblable au diable-père des lettres à Fliess. Il est relativement plus œdipien (il interdit la mère), quoique archaïque, mais c'est un père-diable cependant : étranger à toutes nos réactions (donc non humain), ne refoulant pas ses pulsions (le diable = la personnification de la vie pulsionnelle), ayant des caractères d'animal (le totem est un animal, le diable aussi a des traits animaux tels que la queue et les cornes), narcissique (comme Lucifer, la plus belle créature). Ce père des temps primitifs est un diable narcissique, face auquel le fils ne peut se présenter que dans une attitude passive et masochiste, dont la limite extrême est le pacte : lui remettre son corps et son âme ou bien s'aménager quelques années de répit avant de se donner à lui définitivement.

Dans « Une névrose démoniaque au xviie siècle », Freud présente enfin manifestement le diable comme père, substitut paternel, seigneur de l'enfer et plus que mâle. Son « fils » (le peintre possédé) a besoin de lui, il a promis de lui appartenir corps et âme neuf ans après son pacte et, l'échéance approchant, est pris d'une crainte terrible. Si, à nouveau, nous nous demandons de quelle sorte de père il s'agit, nous devons répondre qu'il n'apparaît toujours pas comme législateur — sauf de l'enfer dont il est le seigneur, mais quelles sont les lois de l'enfer, certainement pas l'interdit de l'inceste ? — et qu'il n'est pas tiers, puisque la mère n'intervient pas, si ce n'est sous la forme asexuée de la Sainte Vierge de Mariazell, près de laquelle il n'est pas interdit de se réfugier. Le peintre ne parle jamais de sa vraie mère et Freud n'y songe pas non plus. Si Haitzmann l'a quittée, ce n'est pas pour obéir à la loi du père, mais attiré par lui dans un élan d'amour homosexuel. La castration est présente, comme crainte; son but ne serait pas celui d'empêcher l'accès à la mère ou de punir les désirs envers elle, mais celui de soumettre fémininement le fils au diable-père, phallique et agressif, malgré ses seins. Ce dernier trait rend le diable-père féminin aussi, sans différenciation sexuelle, ce qui empêche également d'établir cette différence comme une loi. Du reste, il ne pourra non plus jamais devenir un père mort, puisque, là aussi, de par son immortalité, il est hors des lois de la vie. Le diable est donc ici encore un faux père qui veut prendre la place du vrai père, Dieu, dont il viole la loi.

Mais qu'est donc ce père phallique et féminin?

Examinons les diverses hypothèses qui peuvent rendre raison de ce diable-père.

Premièrement, cette imago avec pénis et seins, éléments oraux (dents, serres), anaux (queue, pénis fécal), sadiques destructeurs (dents, serres, instruments tranchants et perçants de toutes sortes) pourrait être reconnue comme le parent combiné de Melanie Klein, représentation persécutrice et très angoissante qui trouve son origine dans l'élaboration fantasmatique bâtie autour de l'union sexuelle des parents, supposée ininterrompue et cause d'une jouissance continuelle dont l'enfant est exclu. Cette satisfaction mutuelle constante suscite la haine de l'enfant frustré qui, par projection, fait de cet objet parental un persécuteur terrible[1]. De là provient aussi la crainte, liée au désir de participer à l'union sexuelle des parents, d'avoir à remettre son corps et son âme. Cette imago, comme celle du diable, est très prégnante et quasi indestructible dans l'inconscient[2].

Dans une deuxième hypothèse, le diable pourrait être équivalent à la mère phallique, telle que Freud l'a décrite dans le *Léonard*, à propos des déesses maternelles dotées de seins et de phallus, signifiant la force créatrice de la nature et évoquant la première représentation que l'enfant se fait du corps de la mère, avant sa « castration ». Mais Freud a déclaré que cette représentation était rassurante face à la crainte de la castration, ce qui n'est certes pas le cas du diable. En outre, Freud ne songe point à cette mère phallique pour essayer d'expliquer la présence de seins chez le diable dans « Une névrose démoniaque au XVIIe siècle », ce en quoi il a raison puisque le peintre n'est rien moins que tranquillisé par ses relations avec le diable.

Selon une troisième hypothèse, le diable ne serait qu'apparemment un père et représenterait en vérité une imago de la mère archaïque. Ceci rendrait compte de son caractère monstrueux, de l'angoisse terrible qu'il provoque, de la remise du corps qu'il rechercherait et des craintes de dévoration qu'il inspire. Bien que cette hypothèse ne nous semble pas totalement à rejeter, nous croyons cependant que la mère archaïque, absorbante et sans limites, est dépourvue de masculinité et que le diable a quand même des caractères masculins marqués, qui ne sont pas les seuls, comme le dit Freud, mais qui existent et ne manquent jamais (queue, cornes, trident). La mère archaïque est une imago encore plus primitive que le parent combiné et il ne nous semble pas qu'on puisse la déceler dans le contenu latent de la pensée de Freud par rapport au diable.

1. Cf. M. KLEIN, *La psychanalyse des enfants*, Paris, PUF, 1959.
2. J. LAPLANCHE, *Problématiques*, II : *Castration, Symbolisations*, Paris, PUF, 1980, p. 43.

Nous pouvons émettre encore une quatrième hypothèse : le diable, sous sa forme habituelle (pénis plus seins) serait un « objet-source », dans le sens de Laplanche. Il s'agit de l'objet-source de la pulsion, non pas indifférent comme dans certains développements de Freud, mais tel qu'il le décrit dans les *Trois essais* : ce qui exerce l'attraction sexuelle. La source énergétique, point d'excitation implanté comme un corps étranger, devient impossible à fuir, c'est la pulsion même[1]. Cet objet-source a été déposé par la séduction de la mère[2], par ses soins et par son désir, transmis à l'enfant sous la forme d'un message pour lui énigmatique et agissant de façon traumatisante. Cet objet séducteur est intériorisé et se situe à la naissance du désir[3]. Laplanche le compare au sein intériorisé de Melanie Klein[4].

Dans un autre passage où cet auteur se réfère au mauvais objet au sens kleinien, il dit que, pour lui, il s'agit d'un sein sexuel qui, par son attaque, suscite la pulsion de mort, appelée par Laplanche, par opposition à la pulsion sexuelle de vie, pulsion sexuelle de mort[5]. Ce mauvais objet, résultat de la projection sur lui de toutes les pulsions destructrices, peut persécuter de toutes les manières décrites par Melanie Klein (mordre, dévorer, déchirer, brûler, noyer, etc.) qui, nous le comprenons immédiatement, sont semblables à celles attribuées au diable.

Le mauvais objet-diable s'expliquerait comme la conséquence du clivage avec Dieu. Séparé absolument du bon père idéalisé, il garde un aspect partiel, unilatéral, mauvais, dangereux et destructeur. Nous pensons qu'en effet, derrière le parent combiné, le mauvais objet ou l'objet-source se cache et que, si Freud, par rapport au diable, était allé jusqu'au bout de sa pensée, il aurait abouti à une formulation de ce genre. Cependant nous croyons que ce n'est qu'en accentuant le mouvement régressif de la pensée et des fantasmes de Freud et le conduisant à son extrême limite qu'on peut dire que le diable est, pour lui, le mauvais objet primitif ou l'objet source séducteur

---

1. J. LAPLANCHE, *Problématiques*, IV : *L'inconscient et le ça*, Paris, PUF, 1981, p. 254.
2. J. LAPLANCHE, *Problématiques*, III : *La sublimation*, Paris, PUF, 1980, p. 94.
3. J. LAPLANCHE, *Problématiques*, II : *Castration, Symbolisations*, Paris, PUF, 1980, p. 160.
4. J. LAPLANCHE, *Problématiques*, III : *La sublimation*, Paris, PUF, 1980, p. 66.
5. J. LAPLANCHE, *Problématiques*, IV : *L'inconscient et le ça*, Paris, PUF, 1981, p. 254.

traumatisant. Nous pensons que le diable est, chez Freud principalement, une imago de parent combiné : une mauvaise mère unie au pénis du père.

Que dirait Freud des différentes hypothèses que nous avons envisagées ? Il admettrait probablement que le diable est un père qui ne fonde pas l'Œdipe et ne crée pas la loi, mais il refuserait certainement de le considérer comme une image composite à caractères bisexués, ainsi que de l'envisager lié à la mère (pas seulement dans les fantasmes de Haitzmann mais en général). Freud n'accepterait pas cela à cause de ses difficultés avec la féminité propre aux femmes et, aussi, à cause de ses réticences par rapport à la féminité de l'homme.

Mais si quelqu'un lui avait signalé son erreur (son refoulement) au sujet du caractère « insolite » de la présence de seins dans la figuration du diable ? S'il s'était souvenu (levé son refoulement) d'avoir toujours vu des diables dotés de seins à Orvieto, sur la plate-forme de Notre-Dame de Paris et ailleurs ?

Dans ce cas, peut-être que son interprétation serait allée plus loin.

De toute façon, inconsciemment, le diable est, certainement, pour Freud, qui insiste défensivement sur sa masculinité pour ainsi dire absolue, cette imago bisexuelle archaïque que nous avons décrite.

Ses ouvrages postérieurs à « Une névrose démoniaque » nous confirment dans cette hypothèse. Car, après cette apparition éclatante en 1923 à propos du peintre possédé, le diable-père disparaît du discours de Freud et, comme lors de l'auto-analyse, il est remplacé par la sorcière, comme nous pouvons le constater dans les *Nouvelles Conférences sur la psychanalyse* et dans « Analyse terminée et analyse interminable ». Cela montre que, pour Freud, derrière le diable-père, le diable-père-mère se situe et est réactivé régressivement.

Les deux fois où Freud s'est permis de parler du diable-père de façon manifeste, la sorcière a ensuite surgi à sa place. La sorcière représente, elle aussi, le parent combiné : âgée et laide, elle n'a pas de sexe féminin défini, elle s'accompagne d'un balai-pénis, elle a un menton pointu, elle porte un chapeau anguleux, ses activités, comme voler sur son balai par exemple, sont phalliques. Et cela sans oublier non plus qu'elle est mauvaise, toute-puissante, castratrice et liée au diable par un pacte sexuel. Peut-être représente-t-elle une forme différente, une variante de l'imago du parent combiné. Derrière elle se cachent, d'abord, le diable son maître (qui la possède et est donc en elle) et, ensuite, l'objet-source, la mauvaise mère séductrice, génératrice d'une excitation, énigmatique pour l'enfant et qu'elle ne calmera pas.

LES DEUX THÉORIES

Mais un problème se pose : Freud avance deux interprétations psychanalytiques du diable. Et cela déjà à partir des lettres à Fliess. D'une part, le diable métaphorise l'inconscient ou les pulsions refoulées (ou *vice versa*) et, d'autre part, il représente le père séducteur. Comme nous l'avons montré, cette double interprétation se maintient tout au long de l'œuvre de Freud.

Comment pouvons-nous expliquer ces deux courants interprétatifs ? Nous savons que la pensée de Freud s'exprime fréquemment ainsi et que, quand il propose une nouvelle hypothèse, il abandonne rarement la précédente mais les garde toutes deux. Cela s'est produit, par exemple, pour la séduction, pour l'angoisse, pour la structure de l'appareil psychique, pour le problème de la double inscription des traces mnésiques dans le conscient et dans l'inconscient. Afin d'expliquer ces deux courants interprétatifs concernant le diable, nous pouvons nous souvenir aussi de ce que Freud a dit dans ses commentaires à la conférence de Heller sur l'*Histoire du diable* : que le personnage du diable a un caractère complexe, semblable à celui d'une image de rêve. Cela permet de superposer sur lui des caractères différents et contradictoires tout comme dans le rêve la condensation, le déplacement et la symbolisation forment des ensembles nouveaux. C'est vrai, mais cela ne suffit pas.

Au fil de notre travail sur la pensée et les fantasmes de Freud concernant le diable-père, celui-ci est devenu un diable-père-mère fusionnés, un parent combiné ou, peut-être, plus régressivement encore, un objet-source intériorisé excitant et immaîtrisable. Il s'agit donc d'un diable-représentation inconsciente complexe, liée à de forts désirs pulsionnels contradictoires réunis (sexuels érotiques et sexuels de mort, génitaux et provenant des pulsions partielles, œdipiens positifs et œdipiens négatifs). Ces désirs sont refoulés et s'accompagnent d'une forte angoisse. Le diable se montre ainsi comme une formation de l'inconscient, de par sa nature exclue du conscient, appartenant à un registre hétérogène à celui-ci. Le diable ne redevient conscient que dans deux circonstances : ou bien comme symptôme hallucinatoire psychotique, ou bien appuyé sur des fantasmes collectifs mythico-religieux, dont le caractère fixé par la culture sert de support et permet l'expression de ce qui, autrement, ne trouverait pas une forme secondarisée acceptable. Le présenter comme exclusivement masculin et seulement paternel, comme le fait Freud dans le contenu manifeste de sa pensée, est une façon de refouler et de (dé)nier ses aspects les plus inconciliables avec la pensée secondarisée. C'est une sorte de déguisement destiné à entraîner l'acceptation par le moi. Le diable, mauvais père, cache le parent combiné, angoissant et insupportable et, plus profondément, le mauvais objet intériorisé.

Alors, s'agit-il bien, à l'égard du diable, de deux courants interprétatifs dans l'esprit de Freud ? Non, les deux courants se rejoignent et représentent deux versants de l'évolution de la pensée et des fantasmes de Freud. Ces courants semblent diverger, mais ce n'est qu'apparence, car si le diable représente, en dernière instance, l'objet-source de la pulsion, il est tout naturel qu'il représente aussi la pulsion même. La parenté métonymique entre l'objet-source de la pulsion et la pulsion elle-même, évidente, n'a pas à être démontrée.

Tout simplement, Freud n'a pas permis à sa réflexion de dépasser certaines limites et d'envisager consciemment, derrière le diable-père, le parent combiné ou, plus profondément encore, le mauvais objet archaïque intériorisé.

L'IDENTIFICATION DE FREUD AU DIABLE ET AU SORCIER

Nous avons délibérément laissé de côté, dans cette conclusion, un autre aspect majeur de la relation de Freud au diable : celui de son mouvement d'identification à lui, soit parce qu'il métabolise l'inconscient et les pulsions refoulées que Freud a découverts, soit par sa position de rebelle face aux lois généralement reconnues que Freud a enfreintes, soit parce qu'il représente le parent angoissant, place que Freud assumait, évidemment, dans le transfert de ses patients et, très probablement, dans celui de ses disciples.

Ces identifications sont en étroite relation avec la position de sorcier de Freud-analyste, donc avec la possibilité de concevoir l'analyse comme une pratique magique. Et cela par rapport aux fantasmes de séduction (de Freud l'auto-analysant face à son père et à sa bonne-sorcière, de Freud l'analyste face à ses patients séduits), de possession (qui n'est qu'un degré plus accentué du fantasme précédent), de pacte avec le diable (qui, dans la même série que les antécédents, représente simultanément la culmination du processus et l'effort pour le limiter dans le temps).

Freud a du mal à choisir entre la position de séduit-possédé et celle de séducteur-diable (ou inquisiteur, exorciste, sorcier) et il résout ce dilemme en permutant d'une position à l'autre, de sorte qu'il est à tour de rôle ou même simultanément, le séducteur et le séduit, le diable et sa créature, le diable et le possédé (et l'exorciste et le sorcier et l'inquisiteur).

L'analyse, de ce point de vue, est une pratique magique et l'analyste, fils de Freud, devient sorcier.

Bibliographie

ANDRÉAS-SALOMÉ L., *Der Teufel und seine Grossmutter*, Iéna, Eugen Diede-
rich, 1922.
— *Briefwechsel Sigmund Freud - Lou Andreas-Salomé*, Frankfurt-am-Main,
S. Fischer Verlag, 1966. Trad. fr. L. JUMEL, *Correspondance avec Sigmund
Freud*, Paris, Gallimard, 1970.
ANZIEU D., *L'auto-analyse de Freud et la découverte de la psychanalyse*, Paris,
PUF, 2e éd., 1975, 2 tomes.

BAKAN D., *Freud and the Jewish Mystical Tradition*, Princeton, Van Nostrand
Company, 1958. Trad. fr., *Freud et la tradition mystique juive*, Paris,
Payot, 1977.
« BIBLE DE JÉRUSALEM », Paris, Desclée de Brouwer, 1975.
BYRON G. G., Manfred, in *Poetical Works*, Londres, Oxford University
Press, 1970.

CARO-BAROJA J., *Las brujas y su mundo*, Madrid, Revista de Occidente,
1961. Trad. fr., *Les sorcières et leur monde*, Paris, Gallimard, 1972.
CHARCOT J.-M., *L'hystérie*. Textes choisis et présentés par E. TRILLAT,
Paris, Privat, 1971.
CHARCOT J.-M. et RICHER P., *Les démoniaques dans l'art*, Paris, Delahaye
& Lecrosnier, 1887.

DEBACKER, Les hallucinations et terreurs nocturnes chez les enfants et
les adolescents, Paris, thèse, 1881 (cité par S. FREUD dans *L'interprétation des rêves*, Paris, PUF, 1976).
DELUMEAU J., *La peur en Occident*, Paris, Fayard, 1978.
DUFRESNE R., *Bibliographie des écrits de Freud*, Paris, Payot, 1973.

EISSLER K., Gœthe and science, in *Psychoanalysis and the Social Sciences*, vol. V, New York, Int. Universities Press, 1958, pp. 51-98.

ELLENBERGER H., *The discovery of the unconscious*, New York, Basic Books, Inc., 1970. Trad. fr., *A la découverte de l'inconscient*, Villeurbanne, Simep, 1974.

« ENCICLOPEDIA CATOLICA », Citta del Vaticano, Ed. Libro Catolico, 1951, 12 tomes.

ESQUIROL J. E. D., *Des maladies mentales considérées sous le rapport médical, hygiénique et médico-légal*, Paris, 1838, 12 tomes.

« ÉTUDES CARMÉLITAINES », *Satan*, Paris, Desclée de Brouwer, 1948.

FAIRBAIRN W. R., The repression and the return of bad objects, in *Psychoanalytic Studies of the Personnality*, Londres, Tavistock, 1962.

FERENCZI S., Glaube, Unglaube und Überzeugung, Kongress Vortrag, München, 1913, in *Alpszichoanalysis kaladàsa*, Budapest, Mano Dick, 1919. Trad. fr. Foi, incrédulité et conviction sous l'angle de la psychologie médicale, in *Œuvres complètes, Psychanalyse II*, Paris, Payot, 1970.

FREUD S., 1892-1893. Ein Fall von hypnotischer Heilung nebst Bemerkungen über die Entstehung hysterischer Symptome durch den « Gegenwillen », in *GW*, I, pp. 1-17.

— 1892-1893. Preface and Footnote to the translation of Charcot's *Leçons du Mardi de la Salpêtrière* (1887-1888), in *SE*, 1, 133.

— 1893. Charcot, in *GW*, I, pp. 19-35.

FREUD S. et BREUER J., 1895. Studien über Hysterie, *GW*, I, pp. 75-312. Trad. fr. de Anne BERMAN, *Etudes sur l'hysterie*, Paris, PUF, 4e éd., 1973.

FREUD S., 1900 (1899). Die Traumdeutung, *GW*, II/III, *SE*, IV/V. Trad. fr. de D. BERGER, *L'interprétation des rêves*, Paris, PUF, 1976.

— 1901. Zur Psychopathologie des Alltagsleben, *GW*, IV. Trad. fr. de S. JANKÉLÉVITCH, *La psychopathologie de la vie quotidienne*, Paris, Payot, 1976.

— 1905 (1901). Bruchstück einer Hysterie-Analyse, in *GW*, V, pp. 161-286. Trad. fr. de M. BONAPARTE et R. LŒWENSTEIN, Fragment d'une analyse d'un cas d'hystérie (Dora), in *Cinq Psychanalyses*, Paris, PUF, 7e éd., 1975.

— 1907 (1906). Der Wahn und die Träume in W. Jensens « Gradiva », *GW*, VII. Trad. fr. de M. BONAPARTE, *Délires et rêves dans la Gradiva de Jensen*, Paris, Gallimard, 1979.

— 1908. Charakter und Analerotik, in *GW*, VII, pp. 203-209. Trad. fr. sous la direction de J. LAPLANCHE, Caractère et érotisme anal, in *Névrose, psychose et perversion*, Paris, PUF, 2e éd., 1974.

— 1908. Der Dichter und das Phantasieren, in *GW*, VII, pp. 213-223. Trad. fr. de M. BONAPARTE et E. MARTY, Le créateur littéraire et le rêve éveillé, in *Essais de psychanalyse appliquée*, Paris, Gallimard, 1973.

— 1910. Eine Kindheitserinnerung des Leonardo da Vinci, *GW*, VIII, pp. 127-211. Trad. fr. de M. BONAPARTE, *Un souvenir d'enfance de Léonard de Vinci*, Paris, Gallimard, 1977.

FREUD S., 1911 (1910). Psychoanalytische Bemerkungen über einen autobiographisch beschriebenen Fall von Paranoïa (Dementia Paranoides), in *GW*, VIII, pp. 239-320. Trad. fr. de M. BONAPARTE et R. LŒWEN-STEIN, Remarques psychanalytiques sur l'autobiographie d'un cas de paranoïa : Dementia Paranoides (Le président Schreber), in *Cinq psychanalyses*, Paris, PUF, 7e éd., 1975.

— 1913. Totem und Tabu, *GW*, IX. Trad. fr. de S. JANKÉLÉVITCH, *Totem et tabou*, Payot, 1976.

— 1915. Bemerkungen über die Ubertragungsliebe, in *GW*, X, pp. 305-321. Trad. fr. de A. BERMAN, Observations sur l'amour de transfert, in *La technique psychanalytique*, Paris, PUF, 7e éd., 1975.

— 1915. Zeitgemässes über Krieg und Tod, in *GW*, X, pp. 324-355. Trad. fr. de A. BOURGUIGNON et autres, Considérations actuelles sur la guerre et la mort, in *Essais de psychanalyse*, Paris, Payot, 1976.

— 1916. Einige Charaktertypen aus der psychoanalytischen Arbeit, in *GW*, X, pp. 363-391. Trad. fr. de S. JANKÉLÉVITCH, Quelques types de caractères dégagés par la psychanalyse, in *Essais de psychanalyse appliquée*, Paris, Gallimard, 1973.

— 1916-1917. Vorlesugen zur Einführung in die Psychoanalyse, *GW*, XI. Trad. fr. de S. JANKÉLÉVITCH, *Introduction à la psychanalyse*, Paris, Payot, 1976.

— 1917. Eine Schwierigkeit der Psychoanalyse, in *GW*, XII, pp. 3-12. Trad. fr. de S. JANKÉLÉVITCH, Une difficulté de la psychanalyse, in *Essais de psychanalyse appliquée*, Paris, Gallimard, 1973.

— 1917. Eine Kindheitserinnerung aus *Dichtung und Warheit*, in *GW*, XII, pp. 13-26. Trad. fr. de S. JANKÉLÉVITCH, Un souvenir d'enfance de Gœthe, in *Essais de psychanalyse appliquée*, Paris, Gallimard, 1973.

— 1917 (1915). Trauer und Melancholie, in *GW*, X, pp. 427-446. Trad. fr. de J. LAPLANCHE et J.-B. PONTALIS, Deuil et Mélancolie, in *Métapsychologie*, Paris, Gallimard, 1978.

— 1919. Das Unheimliche, *GW*, XII, pp. 227-268; *SE*, XVII. Trad. fr. de S. JANKÉLÉVITCH, L'inquiétante étrangeté, in *Essais de psychanalyse appliquée*, Paris, Gallimard, 1973.

— 1920. Jenseits des Lustprinzip, *GW*, XIII. Trad. fr. de A. BOURGUIGNON et autres, Au-delà du principe de plaisir, in *Essais de psychanalyse*, Paris, Payot, 1981.

— 1921. Massenpsychologie und Ich-Analyse, *GW*, XIII, pp. 71-161. Trad. fr. de S. JANKÉLÉVITCH, Psychanalyse collective et analyse du moi, in *Essais de psychanalyse appliquée*, Paris, Payot, 1976.

— 1921 (publié en 1941). Psychoanalyse und Telepathie, in *GW*, XVII, p. 121.

— 1922. Traum und Telepathie, in *GW*, pp. 163-191.

— 1922 (publié en 1940). Das Medusenhaupt, in *GW*, XVII, pp. 47-48.

193

L. DE URTUBEY 7

FREUD S., 1923. Eine Teufelsneurose im siebzehnten Jahrhundert, in *GW*, XIII, pp. 315-363; *SE*, XIX. Trad. fr. de S. JANKÉLÉVITCH, Une névrose démoniaque au XVIIᵉ siècle, *Essais de psychanalyse appliquée*, Paris, Gallimard, 1973.

— 1925. Selbdarstellung, *GW*, pp. 33-96. Trad. fr. de M. BONAPARTE, *Ma vie et la psychanalyse*, Paris, Gallimard, 1975.

— 1926. Hemmung, Symptom und Angst, *GW*, XIV, pp. 111-204. Trad. fr. de M. TORT, *Inhibition, symptôme et angoisse*, Paris, PUF, 4ᵉ éd., 1973.

— 1926. Die Frage der Laienanalyse, *GW*, XIV, pp. 209-286. Trad. fr. de M. BONAPARTE, Psychanalyse et Médecine, in *Ma vie et la psychanalyse*, Paris, Gallimard, 1975.

— 1927. Die Zukunft einer Illusion, *GW*, XIV, pp. 323-380. Trad. fr. de M. BONAPARTE, *L'avenir d'une illusion*, Paris, PUF, 4ᵉ éd., 1976.

— 1930. Das Unbehagen in der Kultur, *GW*, XIV, pp. 419-506. Trad. fr. de Ch. et J. ODIER, *Malaise dans la civilisation*, Paris, PUF, 5ᵉ éd., 1976.

— 1930. Ansprache im Frankfurter Gœthe-Haus, in *GW*, XIV, pp. 547-550.

— 1931. Über die weibliche Sexualität, in *GW*, XIV, pp. 515-537. Trad. fr. de D. BERGER et J. LAPLANCHE, La sexualité féminine, in *La vie sexuelle*, Paris, PUF, 4ᵉ éd., 1973.

— 1933. Neue Folge der Vorlesungen zur Einführung in die Psychoanalyse, *GW*, XV ; *SE*, XXII. Trad. fr. de A. BERMAN, *Nouvelles conférences sur la psychanalyse*, Paris, Gallimard, 1975.

— 1936. Brief an Romain Rolland (Eine Erinnerungstörung auf der Akropolis), in *GW*, XVI, pp. 250-257. Trad. fr. de M. ROBERT, Un souvenir sur l'Acropole, in *L'Ephémère*, avril 1967, nº 2, 3-13.

— 1937. Die endliche und die unendliche Analyse, in *GW*, XVI, pp. 57-99. Trad. fr. de A. BERMAN, Analyse terminée et analyse interminable, in *Rev. fr. Psychanal.*, 1939, 11, nº 1, 3-38.

— 1940 (1938). Abriss der Psychoanalyse, *GW*, XVII. Trad. fr. de A. BERMAN, *Abrégé de psychanalyse*, Paris, PUF, 8ᵉ éd., 1975.

— *Aus dem Anfangen der Psychoanalyse*, Londres, Imago, 1975. Trad. fr. de A. BERMAN, *La naissance de la psychanalyse*, Paris, PUF, 1973.

— (1873-1939). *Briefe*, Londres, Sigmund Freud Copyright Ltd., 1960. Trad. fr. de A. BERMAN et coll., *Correspondance*, Paris, Gallimard, 1966.

FREUD S. et JUNG C. G. (1906-1914). *Correspondance*, Londres, Sigmund Freud Copyright Ltd. and the Estate of C. G. Jung, 1975. Trad. fr. de R. FIVAZ-SILBERMANN, *Correspondance*, Paris, Gallimard, 1975.

FREUD S. et ABRAHAM K., *Briefe*. 1907-1926. Frankfurt-am-Main, S. Fischer Verlag, 1965. Trad. fr. de F. CAMBON et J.-P. GROSSEIN, *Correspondance*, Paris, Gallimard, 1969.

FREUD S. et PFISTER O., *Briefe*. 1909-1939. Frankfurt-am-Main, Fischer Verlag, 1963. Trad. fr. de L. JUMEL, *Correspondance avec le pasteur Pfister*, Paris, Gallimard, 1966.

GILLIBERT J., La sorcière (métapsychologique), in *Rev. fr. Psychanal.*, 1976, t. XL, 1, pp. 195-213.
GŒTHE J. W., *Faust.* Trad. fr. de H. LICHTENBERGER, Paris, Aubier-Montaigne, 1976.
GRABER G. H., Uber Regression und Dreizahl, 1923, *Imago*, IX, (4), 475-484.
GRANOFF V., *Filiations*, Paris, Ed. de Minuit, 1975.
— *La pensée et le féminin*, Paris, Ed. de Minuit, 1976.
GRIMAL P., *Dictionnaire de la mythologie grecque et romaine*, Paris, PUF, 1969.
GRINSTEIN A., *Sigmund Freud's writings*, New York, International Universities Press, 1977.
GRODDECK G., *The meaning of illness*, Londres, Hogarth Press, 1977.

H. D., *Tribute to Freud*, New York, Norman Holmes Pearson, 1956. Trad. fr., *Visage de Freud*, Paris, Denoël, 1977.
HOFFMAN E. T. A., L'homme au sable, in *Contes fantastiques*, Paris, Flammarion, 1964, t. 1.
— *Les élixirs du diable*, Paris, Verso Phébus, 1979.

INSTITORIS Henricus et SPRENGERUS Jacobus, *Malleus maleficarum.* In fine : Malleus Maleficarum a suo editore nuncupatus Impressusque per me Joanem Koelhoff incolo Civitatis sancte Coloniem, 1494, in-fol. Inc. 1076, 4° OWB, Berlin. Trad. fr., *Le marteau des sorcières*, Paris, Plon, 1973.

JONAS H., *La religion gnostique*, Paris, Flammarion, 1978.
JONES E., Der Alptraum in seiner Beziehung zu gewissen Formen des mittelalterlichen Aberglaubens, 1912, *Schriften zur Angewandten Seelekunde*, XIV (7), 1-149. Trad. fr. in *Le cauchemar*, Paris, Payot, 1973.
— *The life and work of Sigmund Freud*, New York, Basic Books Inc., t. I, 1953 ; t. II, 1955 ; t. III, 1957. Trad. fr., *La vie et l'œuvre de Sigmund Freud*, Paris, PUF, t. I, 1958 ; t. II, 1961 ; t. III, 1969.
JUNG C. G., *Zur Psychologie und Pathologie sogennanter okkulter Phaenomene*, Leipzig, 1902. Trad. fr., De la psychologie et de la pathologie des phénomènes dits occultes, in *L'énergétique psychique*, Paris, Buchet-Chastel, 1956.
— *Erinnerungen, Träume, Gedanken*, Zurich et Stuttgart, Rascher, 1962. Trad. fr., *Ma vie*, Paris, Gallimard, 1973.

KLEIN M., *The psychoanalysis of children*, Londres, Hogarth Press, 1932. Trad. fr., *La psychanalyse des enfants*, Paris, PUF, 1972.

LALANDE A., *Vocabulaire technique et critique de la philosophie*, Paris, PUF, 1968.
LAPLANCHE J., *Vie et mort en psychanalyse*, Paris, Flammarion, 1970.
— *Problématiques*, I : *L'angoisse*, Paris, PUF, 1980.

LAPLANCHE J., *Problématiques*, II : *Castration, symbolisations*, Paris, PUF, 1980.
— *Problématiques*, III : *La sublimation*, Paris, PUF, 1980.
— *Problématiques*, IV : *L'inconscient et le ça*, Paris, PUF, 1981.
LAPLANCHE J. et PONTALIS J.-B., *Vocabulaire de la psychanalyse*, Paris, PUF, 1967.
LÉON-DUFOUR X., *Vocabulaire de théologie biblique*, Paris, Ed. du Cerf, 1977.
LICHTENBERGER H., *Gœthe*, Paris, H. Didier, 1939, 2 t.
LITTRÉ P.-E., *Dictionnaire de la langue française*, Enc. Britannica Inc. Chicago, 1978, 4 tomes.
MACALPINE J. et HUNTER R., Observations on the psychoanalytic theory of psychosis Freud's « A neurosis of demoniacal possession in the seventeen century », in *The British Journal of Medical Psychology*, 1954, XXVII (4), 175-192.
— *Schizophrenia 1677*, London, William Dawson, 1956.
MANN Th., Die Stellung Freuds in der modernen Geistesgeschichte, in *Gesammelte Werke*, Bd X, Frankfurt-am-Main, 1960, S. 260.
MICHELET J., *La sorcière*, Paris, Garnier-Flammarion, 1966.
« MINUTES OF THE VIENNA PSYCHOANALYTIC SOCIETY », vol. I : *1906-1908*, New York, Int. Univ. Press, 1962. Trad. fr., *Les premiers psychanalystes. Minutes de la Société psychanalytique de Vienne*, t. 1 : *1906-1908*, Paris.
— Vol. II : *1908-1910*, New York, Int. Univ. Press, 1967. Trad. fr., *Les premiers psychanalystes. Minutes de la Société psychanalytique de Vienne*, t. 2 : *1908-1910*, Paris, Gallimard, 1978.
MUCHEMBLED R., *La sorcière au village*, Paris, Gallimard, 1979.

NACHT S. et RACAMIER P.-C., La théorie psychanalytique du délire, in *Rev. fr. psychanal.*, 1958, XXII (4-5), pp. 417-532.

PAYER-THURN R., Faust in Mariazell, in *Chronik des Wiener Gœthe-Vereins*, 34, I, 1924.
PFISTER O., Die psychologische Enträtselung der religiosen Glossolalie und der automatisch Kryptographie, *Jb. psychoan. psychopath. Forsch*, 1911-1912, III, 730-794.
— Kryptolalie, Kryptographie und unbewusste Vexierbild bei Normalen, *Jb. psychoan. psychopath. Forsch*, 1913, V, 117-156.
PRAZ M., *La carne, la morte e il diavolo nella litterature romantica*, Firenze, Sansoni, 1966. Trad. fr., *La chair, la mort et le diable*, Paris, Denoël, 1977.
RANK O., *Das Inzest-Motiv in Dichtung und Sage*, Leipzig et Vienne, Deuticke, 1912.
— Der Doppelgänger, 1914, *Imago*, 3, 97. Trad. fr., Le double, in *Don Juan et le double*, Paris, Payot, 1973.
REIK T., Der eigene und der fremde Gott, 1923, *Imago*, III.
— Das Ritual, 1928, *Imago*, XI. Trad. fr., *Le rituel. Psychanalyse des rites religieux*, Paris, Denoël, 1974.

REINHARDT K., *Sophocle*, Paris, Ed. de Minuit, 1971.

ROBERT P., *Dictionnaire alphabétique et analogique de la langue française*, Paris, Dictionnaire Le Robert, 1978, 7 tomes.

ROSCOFF G., *Geschichte des Teufels*, 2 vol., Leipzig, F. A. Brockhaus, 1869.

SCHNEIDER M., *Le féminin expurgé*, Paris, Retz, 1979.

SCHREBER D. P., *Denkwürdigkeiten eines Nerven Kranken*, Leipzig, O. Mutze, 1903. Trad. fr. de P. DUQUESNE et N. SELS, *Mémoire d'un névropathe*, Paris, Seuil, 1975.

SCHROTER K., Maximen und Reflexionen des jungen Freud, *in* K. EISSLER, *Aus Freuds Sprachwelt und andere Beiträge*, Bern, Stuttgart, Wien, Hans Hüber, 1974.

SCHUR M., *Freud : Living and dying*, New York, Sigmund Freud Copyrights Ltd., 1972. Trad. fr., *La mort dans la vie de Freud*, Paris, Gallimard, 1975.

VANDENDRIESSCHE G., *The parapraxis in the Haitzmann case of Sigmund Freud*, Paris, Publications universitaires Béatrice Nauwelaerts, 1965.

— La bisexualité dans le cas Haitzmann, in *Rev. fr. Psychanal.*, 1975, XXIX (5-6), 99-112.

— Ambivalence et anti-ambivalence dans le cas Haitzmann de Freud, in *Rev. fr. Psychanal.*, 1978, XLII (5-6), 1081-1088.

VIRGILE, *L'Enéide*, Paris, Garnier-Flammarion, 1965.

WITTELS F., Gœthe und Freud, in *Die psychoanalytische Bewegung II*, Jahrgang 1930, 431-466.

Table des matières

Imprimerie des Presses Universitaires de France
73, avenue Ronsard, 41100 Vendôme
Février 1983 — N° 28 827

(